TANGO

Estructura de la Danza
Los Secretos del Baile Revelados

The Structure of the Dance
The Key to its' Secrets Revealed

Cesarini Hnos. Editores
Sarmiento 3219
1196 - Capital Federal - Argentina
Tel.: 4861-1152
e-mail: cesarini@sinectis.com.ar
www.sinectis.com.ar/u/cesarini

Primera edición: marzo de 2000

© 2000 Mauricio P. Castro
mcastro@mail.com
www.mauriciocastro.com.ar

Diseño de Tapa y Diagramación: Daniel Truco / e-mail: dtruco@mail.com

ISBN 950-526-129-2
Impreso en la Argentina.
Hecho el depósito que establece la ley 11.723

Introducción

El Tango Argentino es la danza que vamos a explorar a lo largo de este libro. Para entender esta danza, podemos decir que se baila de a dos, un hombre y una mujer. El rol que tiene el hombre además de bailar, es el de dirigir a la mujer en cada uno de sus pasos. El rol de la mujer aparte de interpretar la música es el de seguir al hombre en esta marcación de los pasos. Esta descripción del Tango Argentino, aunque breve, es fundamental para comprender desde donde se crean los movimientos de esta danza. Esta descripción del tango se refiere a una forma de bailarlo que es la improvisación, es decir que el hombre dirige el baile en el momento, y la mujer no conoce que pasos o que direcciones tomarán.

Lo descrito anteriormente, es una de las tantas definiciones de Tango Argentino. Es la que mejor se adapta para describir que es lo que sucede cuando una pareja esta bailando en una milonga (milonga: lugar donde se baila tango). También hay parejas que bailan el Tango Argentino en escenarios, donde usualmente utilizan coreografías. Podríamos decir que el Tango Argentino está dividido en dos categorías: una es cuando el tango se baila como improvisación, es decir que el hombre crea en el momento la secuencia de pasos y direcciones mientras la mujer lo sigue sin saber de antemano qué es lo que el hombre va a hacer. La otra forma es la coreográfica, donde el hombre y la mujer ya conocen con exactitud cada paso que van a bailar.

Por decirlo de alguna forma, estos son los dos extremos posibles de esta danza. Dentro de estos extremos existen una infinidad de formas diferentes de combinar los dos.

Aquí se puede encontrar material para ser usado en la improvisación o en coreografías. Dado que lo fundamental de este libro es analizar y des-

Introduction

In this book I explore the argentine tango which is danced by the man and the woman moving together in time to the music. The man's role is to dance and to lead the woman in each of her steps. The woman's role is to dance, performing to the music and following her partner's lead. This union of movement between the man and the woman is where the dance is created. The tango is a dance of improvisation, as the man improvises, leading the dance at each moment, the woman follows him, not knowing the steps or directions the man will take next.

This improvised couple dance is one variation of the Argentine Tango. They may be dancing at home, in the street or at a milonga (a place where tango is danced).

A second type of tango dancing is where a couple dances on-stage, or in a structured performance when their movements are choreographed.

So, in the first category, the Argentine Tango is improvised, the man creating the sequence of steps and directions at each moment and the woman following him without knowing beforehand what the he is going to do.

In the second category, the Argentine Tango is choreographed, here the man and the woman both know ahead of time exactly what each step is that they are going to dance.

There are an infinite number of different forms of dance combination within these two ways of dancing Argentine Tango.

The material in this book can be used for both the improvised and the choreographed dancing of Argentine Tango, I analyze and describe the numerous movement possibilities a couple has when dancing.

At the beginning I give some extremely useful exercises for those who are just starting to dance the Argentine Tango.

cribir cuáles son las posibilidades físicas que tiene la pareja en el baile. En el comienzo explicaremos ejercicios que la persona que recién se inicia en el baile encontrará de gran utilidad. Las primeras lecciones comienzan con la concientización del cuerpo, y luego la iniciación a movimientos simples. Para el bailarín intermedio, hay ejercicios que van desde movimientos simples hasta complejos. Y el bailarín avanzado puede encontrar la estructura de análisis del baile más avanzada que existe hasta el momento, con la cual podrá analizar y crear sus propias secuencias de baile.

Este libro fue hecho por varios motivos. Uno de ellos es la constante confusión de términos y métodos que existen sobre Tango Argentino. Lo aquí descrito no fue hecho para crear un estilo diferente, o una forma separada del resto, sino por el contrario, es el tipo de estructura que une e involucra a cualquier estilo de Tango Argentino. Es decir que hemos tomado los puntos en común que existen entre todos los tipos de baile, dejando el estilo y la estética cómo una elección personal para cada bailarín.

Otro motivo por el cual fue escrito este libro, es el de querer romper el ciclo de eternos principiantes que existe en el mundo. Con esto quiero decir que a la mayor parte de los estudiantes de tango les está tomando una exagerada cantidad de tiempo descubrir el funcionamiento del mismo, ya que hasta el momento no existía una estructura de aprendizaje que los contuviera.

Este método esta dedicado a descubrir el funcionamiento básico del tango, y no a aprender una cantidad de secuencias de pasos, rígidas e inmodificables, ya que si se enseñan sólo secuencias, el tiempo nos ha hecho ver que el estudiante debe volver una y otra vez a pedirle más secuencias a su maestro, ya que nunca termina de entender cómo hace éste para crear esas secuencias.

Otro punto importante de este método, es que hemos diseñado una forma específica de realizar los ejercicios, donde el énfasis está puesto en cómo el estudiante descubre la información, en cómo su cuer-

The first lessons focus on awareness of the body and how it moves, after which I give the simple initial movements of the dance.
Intermediate dancers will find exercises ranging from easy to complex movements.

Advanced dancers will find a more detailed analysis of the dance's structure than given anywhere before now and will be able to create and analyze their own tango dance sequences.

One reason for writing this book is to clarify the constant confusion of terms and methods used in the Argentine Tango. It is not my intention to create a different style or form separated from the rest, on the contrary, I discuss a type of dance structure that joins or involves all styles of Argentine Tango.

In other words, this book looks at the points which all the different kinds of tango have in common, leaving each dancer to make his or her own choices about style and aesthetic.

Another reason for writing this book is to break the cycle of the world's "eternal beginners": it often takes the majority of tango students more time than necessary to discover how the tango works - now the dance student can learn a tango structure that includes everything.

This method is dedicated to discovering the basic functions of tango and not to just learning a number of rigid and unmodified sequences of steps. Time has shown us that if only sequences of steps are taught students must come back again and again to get yet more sequences from the teacher. Why? Because the student is unable to understand how the teacher created the sequences of tango dance steps in the first place.
In this book I have designed a specific way of doing the exercises, in order to stress how the student can discover the information needed for the movements of the body and the engagement of the brain. I am not talking

po entero descubre información y en cómo su cerebro cataloga esta información para su posterior uso. Y éste mismo énfasis está puesto en cómo el estudiante cataloga el baile, y no en la estética del mismo. Cuando decimos catalogar, nos referimos a de qué manera el estudiante utiliza su memoria para bailar. Es decir, hay bailarines que memorizan secuencias, siendo ésta la forma más común de aprender el baile. Luego de aprender secuencias aprenden a modificar éstas en diferentes puntos.

Si hiciéramos una analogía con la manera que aprendemos a escribir, podríamos decir que en este caso estaríamos aprendiendo frases y luego intentando modificarlas.

Lo interesante de éste libro es que por primera vez el baile es analizado cómo si estuviéramos aprendiendo las letras del alfabeto y sus posibilidades. La creación de secuencias es lo que el estudiante avanzado debe practicar por sí mismo, ya que éste proceso de creación lo llevara a aprender mecanismos para crear secuencias que es lo que queremos que suceda.

Otro objetivo principal es enriquecer el disfrutar del aprendizaje del baile, pues creemos que las personas descubren cosas más rápidamente cuando están a gusto con la experiencia de su propio cuerpo. También sabemos que el tiempo cumple un factor fundamental en el estudio. Es decir que creemos que las personas descubren más cosas cuando están en un ambiente distendido y la información se les presenta a gran velocidad y en formas múltiples.

Muchas veces lo que nosotros proponemos como ejercicio tiene un sentido ulterior al obvio. Es decir que si hay un ejercicio de alta complejidad probablemente nuestro objetivo concreto sea que la persona sólo se levante de la silla donde está sentada y camine. Esta distracción es fundamental para acelerar el descubrir. Con esto quiero decir que no vale la pena frustrarse si un ejercicio no resulta aparentemente exitoso, ya que el ejercicio será eventualmente exitoso aunque el estudiante no lo sepa.

about the dance aesthetic but about how the brain catalogs the dance steps for later practice.

The use of the word "catalog" refers to the way a student uses his memory to dance the tango. That is to say, there are dancers who know sequences of steps by heart, as this is the most common way of learning to dance. They then learn to modify the sequences at different points.
An analogy would be to look at the way we learn to write, when we learn phrases and then try to modify them.

This is the first book to analyze the dance as if a person were learning the letters of the alphabet and the numerous possibilities available for making words. It is an interesting and invaluable guide for the serious student of tango.

The advanced student can practice the creation of sequences. The goal here is to teach the process of learning the tango dance mechanisms so that the student can create sequences himself.

Another principal objective is to make the learning experience richer. I believe the dance student makes discoveries more quickly when he/she feels comfortable with the experience of his/her own body.

Time is an important factor when we study: people discover more when in a relaxed atmosphere with the information being introduced at high speed and in multiple forms.

Frequently an exercise is given for an ulterior motive. A seemingly complex exercise may only be about the dancer doing something as simple as getting up from a chair and walking. This distraction is fundamental to speeding up the process of discovery. A student can have a feeling of frustration if an exercise does not at first appear to be successful - but the hidden goal will be accomplished eventually.

CONTENIDO
CONTENTS

<table>
<tr><td>

Práctica

</td><td>

Practice

</td></tr>
<tr><td>

Teoría

</td><td>

Theory

</td></tr>
</table>

PRÁCTICA

PRACTICE

Lección 1

Conciencia del cuerpo

El balance de la conciencia del cuerpo es el objetivo de esta lección. Es decir que normalmente tenemos conciencia o sentimos algunas partes del cuerpo más que otras, por lo tanto el ejercicio nos ayudará a sentir el cuerpo como una entidad completa y entera. También aprenderemos a usar la respiración como método para relajar nuestro cuerpo. Los tiempos de las instrucciones pueden modificarse levemente según el estado de ánimo del estudiante.

1- El hombre y la mujer enfrentados, a una distancia cómoda, que puede ser la distancia del largo de los brazos. Las piernas de cada uno separadas el ancho de los hombros aproximadamente. El peso del cuerpo repartido en las dos piernas.
Respirando normalmente se toman unos segundos para relajarse y sentir el cuerpo a grandes rasgos (dos piernas, el tronco, dos brazos y la cabeza). La intención es la de sentir el volumen que tienen estas partes.
Duración: 1 minuto / (foto 1)

2- El hombre y la mujer deben respirar al mismo tiempo. Para esto, pueden fijar las miradas en el pecho del otro y modificar cada uno la respiración, para encontrar un ritmo en común. El hacer un poco de ruido al inhalar y exhalar puede ayudar al compañero a sincronizar la respiración. La respiración debe ser lenta y profunda.
Duración: 2 minutos / (foto 1)

3- Manteniendo la sincronización de las respiraciones. Cuando los dos exhalan cierran los ojos, y cuando inhalan abren los ojos. Luego, se invierte el sentido, cuando los dos exhalan abren los ojos y cuando inhalan cierran los ojos. Con cada exhalación profunda debemos aprovechar para relajar el cuerpo.
Duración: 2 minutos / (foto 1)

Lesson 1

Body awareness

The balancing of body awareness is the objective of this lesson. We are normally conscious of or feel some parts of the body more than others; this exercise will help us to feel the body as a complete entity, it will also teach us the use of breathing as a relaxation method for the body. The instructions can be slightly modified according to the mood of the student.

1-The man and the woman stand face to face at a comfortable arm's length, each has his/her feet at shoulder width apart. The weight of the body is evenly distributed between both legs.
Breathing normally take some seconds to relax and feel the body in broad terms (two legs, the trunk, two arms and the head). The aim is to feel the volume of these body parts.

Duration: 1 minute / (Photo 1)

2-The man and the woman must breath at the same time. While doing this each must focus his gaze on the other's chest or sternum in order to modify each breath and find a common breathing rhythm. Attention to the sound of the breath can help the partner to synchronize their breathing. The breaths in and out must be slow and deep.
Duration: 2 minutes / (Photo 1)

3- Continuing the synchronized breathing - as both exhale they close their eyes, and as they inhale they open their eyes. Then they reverse the exercise both opening their eyes as they exhale and closing their eyes as they inhale. The body should relax further with each out breath.

Duration: 2 minutes / (Photo 1)

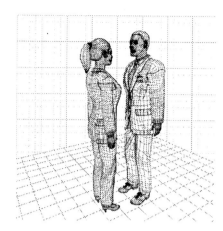

Foto 1

4- La toma de brazos que se ve en la foto es muy suave y sin cargar el peso en el compañero. La mujer descansa sus brazos sobre los hombros del hombre, y el hombre toma a la mujer con sus manos en la espalda. Cada uno tiene el peso en sus dos piernas. Con esta toma volvemos a repetir los ejercicios 2 y 3, pero esta vez notando los pequeños movimientos del cuerpo de nuestro compañero mientras respira. Cuando inhala, sentimos como su cuerpo crece en volumen, y cuando exhala se reduce de tamaño. Siempre aprovechando con cada exhalación a relajarnos en conjunto.
Duración: 4 minutos / (foto 2)

5- La mujer mantiene su posición con el peso del cuerpo en sus dos piernas durante todo el ejercicio. El hombre sin despegar los pies del piso, pasa su peso de una pierna a la otra, sin que sus movimientos modifiquen la posición de la mujer. Cuando exhala, pasa el peso a la pierna derecha y cuando inhala a la pierna izquierda. Luego lo invierte, cuando exhala pasa a la pierna izquierda y cuando inhala a la pierna derecha. Es importante que el hombre pase el peso sin que sus pies se despeguen del piso, para eso debe tenerlos no muy separados entre sí. El hombre debe relajar sus brazos para no mover a la mujer de su posición central. Duración: 3 minutos / (foto 2)

4-The arms should be held very softly, as shown in the photo, without weighing your partner down. The woman rests her hands lightly on the man's shoulders and the man holds the woman by placing his hands lightly on the back, just beneath the arms. Each has their weight evenly on both feet. Here, we repeat exercises 2 and 3 but this time noticing the small movements of the partner's body while he/she breaths. When he/she inhales we feel how the body grows in volume and when he/she exhales, how the body gets smaller and smaller, always taking advantage of each out breath to relax the body further.
Duration: 4 minutes / (Photo 2)

5-The woman keeps her position with her weight on both feet during the whole exercise. The man, without taking his feet from the floor, transfers his weight from one leg to the other without changing the woman's position with his movements. When he exhales, he transfers his weight to his right leg and when he inhales to his left leg. He then reverses the exercise: when he exhales he transfers his weight to his left leg and when he inhales to his right leg. It's important that the man transfer his weight without taking his feet from the floor, so for this his feet must not be too wide apart. The man must relax his arms in order not to move the woman from her central position. Duration: 3 minutes / (Photo 2)

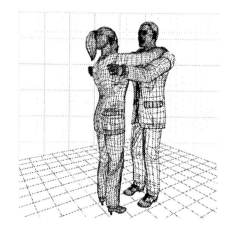

Foto 2

6- El hombre tiene el peso del cuerpo repartido en sus dos piernas. La mujer se mantiene relajada y respirando normalmente. El hombre cada vez que exhala, lleva a la mujer a que pase el peso a su pierna derecha, y cuando inhala lleva el peso de la mujer hacia la pierna izquierda. Ésta debe tener los pies lo suficientemente juntos para no despegarlos del piso con el pequeño balanceo que el hombre está produciendo en ella. El hombre mantiene su peso firme repartido en sus dos piernas.

Luego, se invierte el sentido, cuando el hombre exhala, lleva el peso de la mujer a la pierna izquierda y cuando inhala lleva a la mujer a que pase el peso a su pierna derecha.

Cuando decimos que el hombre lleva el peso de la mujer, estamos haciendo referencia a una suave invitación a que la mujer cambie el peso de una pierna a la otra.

En ningún momento debemos hacer fuerza para lograrlo.

Duración: 2 minutos / (foto 2)

7- El hombre y la mujer pasan el peso de una pierna a la otra. Cuando exhalan el hombre pasa el peso a su derecha y la mujer a su izquierda, cuando inhalan el hombre pasa el peso a su pierna izquierda y la mujer a su derecha, y viceversa.

Las respiraciones de los dos deben estar coordinadas para este ejercicio. Debe tomarse en cuenta que es un ejercicio para encontrar relajación dentro del movimiento.

Duración: 2 minutos / (foto 2)

8- Con las respiraciones sincronizadas. El hombre mientras pasa el peso de su cuerpo hacia la pierna derecha, lleva a la mujer a que pase el peso a su derecha también. Cuando el hombre pasa su peso a la izquierda, simultáneamente lleva a la mujer a que pase el peso a su izquierda. Siempre inhalando y exhalando ambos con cada movimiento. En este caso, la pareja deberá mantener sus brazos relajados, para permitir el movimiento contrario del peso de la mujer.

Duración: 2 minutos / (foto 2)

6- The man has his weight evenly distributed on both feet. The woman keeps relaxing and breathing normally. Each time the man breaths out he leads the woman to transfer her weight to her right leg and each time he breaths in he leads the woman's weight to her left leg. She must have her feet close enough together not to allow them to lift from the floor with the slight swinging motion he transmits to her body. The man keeps his weight firmly and evenly on both feet.

Then he reverses the direction: when he breaths out he leads his partner's weight onto her left leg and when he breaths in he leads her weight onto her right leg.

When we say the man leads the woman's weight, we refer to a delicate invitation to the woman to change the weight of her body from one leg to the other.

We should never use force to achieve this.

Duration: 2 minutes / (Photo 2)

7- Together, the couple transfer their weight from one foot to the other. When they exhale the man transfers his weight to his right and the woman to her left, when they inhale the man transfers the weight to his left foot and the woman to her right foot; the exercise is then reversed.

For this exercise, as before, the couples' breathing must be perfectly synchronized. The object of the exercise is to find the relaxation within the movement. Duration: 2 minutes / (Photo 2)

8- As they synchronize their breathing, the man transfers his weight to his right foot, leading the woman to transfer her weight to her right also. When he transfers his weight to the left he simultaneously leads the woman to transfer her weight to her left also.

They both inhale and exhale with each weight change. In this case the couple must keep their arms relaxed, to facilitate the opposing movement of the woman's weight.

Duration: 2 minutes / (Photo 2)

En todos estos ejercicios, debemos inhalar y exhalar profundamente, aprovechando siempre cuando exhalamos a relajar nuestro cuerpo. Relajar no significa abandonar el cuerpo en un estado sin energía, como cuando dormimos. El cuerpo está sin tensión muscular innecesaria, pero brillante en su energía. Obtener este estado de relajación es un trabajo de mucho tiempo y dedicación. Es importante estar presente con la conciencia entera del cuerpo, en cada mínimo instante de los ejercicios. También después de cada ejercicio cada uno debe soltar su postura y disfrutar de su cuerpo también en la quietud, como en el primer ejercicio, pero respirando libremente y manteniendo los ojos abiertos.

When doing all of these exercises, we must inhale and exhale deeply, taking the opportunity to relax the body with each out breath. Relaxing doesn't mean leaving the body completely limp, as in when we sleep, it simply means achieving the ideal state where the body is without unnecessary tension but ready for action. Achieving this kind of relaxation takes a lot of time and dedication: it's important to be entirely present in and conscious of the body at each moment of the exercises. After each exercise the dancer should relax his or her position and enjoy the body quietly, as in the first exercise, but breathing freely and keeping his or her eyes open.

L e c c i ó n   2

E l   C a m i n a r

L e s s o n   2

T h e   W a l k

El objetivo de esta lección, es que la pareja pueda caminar cómodamente hacia adelante y hacia atrás. Es importante aclarar que en este ejercicio empezaremos a incluir aún más el concepto de que el hombre es el que inicia el movimiento y es el que decide e invita a la mujer a tomar la dirección hacia adelante o hacia atrás. El hombre es el que marca a qué ritmo y a qué velocidad se hacen los pasos. Durante toda esta lección se utilizará la toma de los brazos de la lección anterior.

Un concepto a tener en cuenta mientras están caminando, es que la mujer tiene siempre el peso del cuerpo en una sola pierna, nunca en las dos al mismo tiempo. Siempre tiene una pierna libre de peso, que es la pierna que el hombre debe tener en cuenta para controlar la dirección y la velocidad del paso. La mujer pasa siempre por la posición de tener sus piernas juntas antes de dar cada paso. El juntar las piernas no significa que las ponga rígidas y detenga el movimiento normal del caminar. El juntar es una posición de tránsito, exactamente igual que en el caminar normal. Cuando caminamos normalmen-

The objective of this lesson is that the couple should learn to walk forwards and backwards comfortably. It's important to emphasize the reason for this exercise:- that it is the man who starts the movement and it is he who decides and invites the woman to take the forward or backward direction. It is also the man who leads the rhythm and the speed of the steps. During this entire lesson the arm position from lesson 1 should be used.

Here it is important to emphasize that while they are walking the woman always has her weight on one foot or the other, never on both at the same time. She always has one foot free and the man must always be aware of which foot is free in order to control the direction and speed of the steps. The woman always passes through the central position, where her legs and her feet are together, before taking the next step. Joining the legs in this central position doesn't mean keeping them rigid or departing from the movement of a normal walk. The joining is transitory, just as in the way the legs pass each other in everyday walking. When we walk normally we don't stop each time we join the legs and bring the feet together. But if the man stops the walk the woman should arrive at the central position where feet

te no detenemos nuestro andar cada vez que juntamos las piernas. Pero si el hombre detiene el caminar, y llegan a la posición de tener las piernas juntas, la mujer debe seguir manteniendo el peso en la ultima pierna con la que hizo el paso. Después de cada ejercicio es importante tomarse unos segundos para distender el cuerpo y soltar toda tensión de los músculos.

1- Como en el ejercicio 7 de la lección 1, el hombre pasa el peso de la mujer a la pierna izquierda, y él pasa su propio peso a la pierna derecha. De esta forma, el hombre tiene la pierna izquierda libre de peso, y la mujer su pierna derecha. En esta posición comienza el hombre a caminar hacia adelante, llevando así a que la mujer camine hacia atrás. Es sólo una caminata normal, donde el hombre camina hacia adelante y la mujer hacia atrás. Al mismo tiempo que el hombre pisa con la izquierda hacia adelante, la mujer lo hace con la derecha hacia atrás. Y cuando el hombre pisa con la derecha hacia adelante, la mujer lo hace con la izquierda, por ahora sin tomar en cuenta la respiración e intentando no forzar o empujar a la mujer para que ésta camine. Hay que encontrar un punto suave de tensión muscular que nos permita una comunicación relajada.

Duración: 2 minutos / Gráfico 2

and legs are joined, but keeping her weight on the foot with which she took her last step.
After each exercise it is important to take a little time to relax the body and release accumulated muscle tension.

1-The man then leads the woman's weight onto her left foot, as in exercise 7 of lesson 1, and transfers his own weight to his right foot, so that he has his left foot free and his partner her right.
The man starts walking forwards, leading the woman to walk backwards, this is a normal walk where the man walks forwards and the woman walks backwards. As the man steps forward with his left foot, the woman steps back with her right and vice versa.
Now the couple can become less conscious of their breathing but the man should try not to force or push the woman as he leads her walking backwards. It's important to find the delicate balance of muscle tone that facilitates relaxed communication.

Duration: 2 minutes / Diagram 2

Ver página 139   See page 139

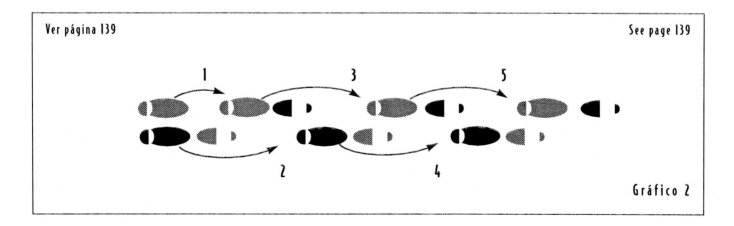

1   3   5

2   4

Gráfico 2

2- La misma secuencia, pero el hombre ahora camina hacia atrás y la mujer hacia adelante. Cuando el hombre pisa con la pierna derecha hacia atrás, la mujer lo hace con izquierda hacia adelante; y cuando el hombre pisa con izquierda hacia atrás la mujer lo hace con derecha hacia adelante. Manteniendo una atmósfera de tranquilidad y siempre invitándose a uno mismo y al compañero a disfrutar de este caminar. Mientras caminamos, podemos imaginar que lo estamos haciendo en un lugar de nuestro agrado, como puede ser un bosque con hojas secas que estamos pisando, y escuchamos el viento jugar con los árboles; o puede ser una playa donde vemos brillar el sol entibiando nuestra piel mientras caminamos. Podemos utilizar nuestra imaginación para ir a un lugar de nuestro agrado.
Duración: 2 minutos.

3- El hombre comienza caminando hacia adelante y cambia su caminar hacia atrás, indicando suavemente a la mujer este cambio de marcha. A lo largo del ejercicio, debe cambiar varias veces de dirección. Es importante conservar el cuerpo relajado durante el ejercicio. El procedimiento para cambiar de marcha es muy sencillo. El hombre detiene su caminar con los pies juntos, por lo tanto la mujer también detiene su caminar. Por ejemplo, si el hombre hace un paso hacia adelante con su derecha y la mujer hacia atrás con su izquierda, y éste detiene su caminar cuando los dos pasaron el peso a esas piernas, la pierna izquierda del hombre y la derecha de la mujer son las que quedan libres para iniciar una caminata hacia atrás del hombre y hacia adelante para la mujer. Lo mismo sucede con la pierna izquierda del hombre y derecha de la mujer. Es decir que estamos volviendo sobre el mismo paso que hicimos, como si nos balanceáramos de una pierna a la otra para cambiar la dirección de adelante hacia atrás o de atrás hacia adelante. El frenar de la caminata antes del cambio de dirección debe ser gradual y suave. Duración: 3 minutos

4- El hombre comienza caminando hacia adelante y la mujer hacia atrás. Como explicamos en los ejercicios anteriores. Una vez que están cómodos en su andar, el hombre puede empezar a modificar le-

2 - Following the same sequence, the man now starts walking backwards and the woman forwards. When the man steps back on his right foot the woman steps forward on her left; and when he steps back on his left the woman steps forward on her right. Whilst practicing the walk in this exercise the dancers can use imagery to enhance the experience of walking and the qualities of smoothness and serenity in the walk.
For example: they can imagine walking in a beautiful place such as a forest, where they are stepping on dry leaves and listening to the wind playing in the trees. Or perhaps they are walking on a beach, with the sun shining and the breeze cooling their skins as they walk.
The dancers can use their imaginations to choose a place of their liking.
Duration: 2 minutes.

3 - Here the man starts walking forwards and then changes his walk to backwards, indicating the change of direction gently to the woman. During this exercise he has to change direction many times therefore it's important to keep the body relaxed throughout.
Changing direction is very easy: the man stops the walk with his feet together, which will also stop the woman's walk. So if the man takes a step forwards with his right foot, and the woman a step back with her left, he will stop walking when both of them have fully transferred their weight onto their respective right and left feet. The opposite foot of each will remain free to start walking again, this time backwards for the man and forwards for the woman, following the same pattern.
Duration: 3 minutes

4-The man starts walking forwards and the woman backwards as explained in the previous exercise, once comfortable with the walking exercise, the man can start to modify slightly the speed of his steps. He can start walking at a normal speed, slowing down more and more, almost to a stop and then speeding up, to return to normal walking speed again. If he wants to he can imagine he is stepping to the rhythm of his favorite music

vemente la velocidad de sus pasos. Puede empezar a caminar a una velocidad normal e ir cada vez mas lento, y luego volver a una caminata normal.

Si el hombre quiere usar su imaginación, puede imaginar que están pisando al ritmo de alguna música de su agrado, y luego progresivamente imaginar este ritmo cada vez más lento hasta que se detiene, o vuelve a su velocidad normal y se acelera. Lo importante es poder jugar con la velocidad del caminar. Duración: 3 minutos

5- El hombre comienza caminando hacia adelante a una velocidad cómoda. Luego aminora su velocidad hasta detenerse, para comenzar a caminar hacia atrás. El mismo proceso sucede para cada cambio de dirección. Es decir, que cuando el hombre está caminando hacia atrás, aminora su marcha hasta detenerse y luego comienza a caminar hacia adelante. Cuando la mujer detiene su caminar es importante que mantenga su peso sobre la pierna que hizo el paso. Por ejemplo, si ella hizo un paso con pierna derecha hacia atrás, y el hombre detiene su andar, la mujer debe quedar con el peso en la pierna derecha, y cuando el hombre cambia la dirección de su caminar hacia atrás, la mujer caminará hacia adelante con la pierna izquierda. Es importante aminorar la velocidad antes de cada cambio de dirección. Duración: 3 minutos.

Lección 3
El Abrazo

En esta lección veremos específicamente el abrazo básico de la pareja. Este abrazo no se mantiene constantemente durante el baile, pero sin embargo es una de las posiciones básicas que utilizaremos durante éste. Como vemos en la figura 2, el brazo izquierdo de la mujer pasa por arriba del brazo derecho del hombre. Esta posición es modificable dependiendo de la altura y la talla de la pareja. Si la mu-

and that progressively this rhythm is getting slower and slower till it almost stops and then faster and faster until it returns to its normal speed. Then it speeds up getting faster and faster - and so forth, always returning to normal speed. It's very important here that the couple learn to play with the speed of walking.
Duration: 3 minutes.

5-The man starts walking forwards at a comfortable speed. He decreases his speed until he stops and then starts walking backwards. The same process happens at each change of direction. In other words, when the man is walking backwards he decreases his speed until he stops and then starts walking forwards. When the woman stops walking it's important that she keep her weight on the foot that has just made a step. For example, if she's stepped back with her right foot and the man stops his walk, she must remain with her weight on her right foot so that when he changes his direction to backwards she will start walking forwards with her left foot. The couple should slow down before each change of direction.
Duration: 3 minutes.

Lesson 3
The Embrace

In this lesson we look at the basic embrace. The embrace does not remain constant throughout the dance however it is one of the basic positions used for tango. As we can see in figure 2, the woman's left arm goes above the man's right arm. This position can be adapted according to the size and height of the couple. If the woman is shorter, her left hand may reach the man's shoulder or arm. If the woman is taller than the man is she can hold

  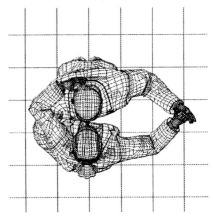

Gráfico 3

jer es más baja, su mano izquierda puede llegar hasta el hombro o brazo del hombre. Si la mujer es más alta que el hombre, ésta puede llegar con su mano hasta el cuello, siempre curvando el brazo para abrazarlo. La mano derecha de la mujer, descansa en la mano izquierda del hombre. En la figura 3 vemos como los torsos no están totalmente enfrentados, sino que crean un suave ángulo entre los dos bailarines, que también es modificable de acuerdo a lo que estemos haciendo. Es importante aclarar que ninguno de los dos esta apoyando su peso en el otro. Cada uno está en su eje de equilibrio. Aunque el pecho de los dos esté en contacto, no están apoyando su peso uno en el otro. Una forma de darnos cuenta es separándonos: deberíamos poder estar parados sin perder el equilibrio. Muchas veces, especialmente en el Tango Argentino, se ve como el hombre tiene cierta inclinación hacia adelante, pero esto no significa que él esté apoyando su peso en la mujer. Más aún, no hay necesidad de inclinarse hacia adelante, con la normal postura de estar parados podemos bailar perfectamente. Estos gráficos son una aproximación al abrazo del tango, de ninguna manera debe reproducirse la postura con extremada exactitud. Siempre buscamos la comodidad de los bailarines dentro de una postura elegante y funcional. Con esta nueva toma deberán practicarse los ejercicios de la lección 2.
Gráfico 3

the back of the man's neck with her left hand, always folding her arm to embrace him. The woman's right hand rests in the man's left hand.
In figure 3 we see how the dancer's torsos do not directly face each other, they make a slight angle opening away from the embracing arms.
This may also be modified according to the movements being performed by the couple. It's important to clarify that neither dancer has his/her weight supported by the other. Each is balanced on his/her own axis. Although the couple's chests are in contact they are not supporting each other's weight. One way to check this is to separate from each other: each partner should be able to be stand without losing their balance. In Argentine Tango we often see the man dancing with a certain forward inclination, but this doesn't mean he is leaning on the woman. In fact there is no need to lean forward as we can dance perfectly well with our normal walking position.
The diagrams only give an approximate representation of the tango embrace and should not be imitated to reproduce an exact position. Always try for a comfortable, elegant and functional position when reproducing the tango embrace.

You should practice the exercises of lesson 2 with this new addition.
Diagram 3.

Lección 4

La Marca

En esta lección comenzaremos el análisis de cómo funciona la pareja en el Tango Argentino. Primero debemos recalcar que la mujer tiene la tarea de seguir al hombre en sus movimientos, y que el hombre es el que indica o propone con su cuerpo a la mujer qué es lo que la pareja hará. Tradicionalmente la tarea del hombre de indicar a la mujer qué es lo que van a hacer, es llamada "la marca", que es independiente de lo que el hombre esté haciendo con sus piernas. Es decir que el hombre además de hacer sus pasos, simultáneamente debe estar marcando a la mujer lo que ella debe hacer, qué pierna debe utilizar y en qué dirección se moverá la pareja.

Hasta el momento hemos dejado a la intuición la manera cómo el hombre lleva a la mujer a ejecutar la acción de caminar, o mejor dicho cómo el hombre marca a la mujer para que ésta camine en una determinada dirección. Ahora empezaremos a ver el funcionamiento de las marcas más fundamentales.

Un concepto a tener en cuenta es que la mujer debe tener el peso del cuerpo en una sola pierna, nunca repartido en las dos. Esto le permite tener una pierna libre de peso, que es la pierna que el hombre dirige para hacer el paso siguiente.

Debemos saber que las marcas se inician en el torso del hombre y que los brazos juegan el papel de ser simples extensiones del torso, es decir que el hombre rota su torso y sus brazos acompañan en bloque este movimiento. En bloque no significa los brazos rígidos, sino acompañando y transmitiendo a la mujer qué es lo que está pasando con el torso.

Es fundamental recordar que no son movimientos donde se requiera fuerza o mucha tensión muscular. Si esto sucede es bueno parar y rever el ejercicio.

En la figura 1 vemos al hombre con su postura básica, sin la mujer, donde sus caderas están en la misma línea que sus hombros, o sea parado normalmente mirando hacia el frente.

Lesson 4

The Lead

In this lesson we will begin an analysis of how the couple works in the Argentine Tango. Firstly, it should be emphasized that the woman follows the man in his movements and the man leads with his body, indicating to the woman what they will do. Traditionally the man's task of leading the woman is called "la marca". This doesn't depend on what he is doing with his legs, because apart from performing his steps he must simultaneously be leading the woman in what she has to do - which leg she has to use and in which direction she has to move. Up till now the way that the man leads the woman's walking has been left to the intuition, now we must start analyzing the way the more essential elements of the "marca" work.

An important point to keep in mind is that the woman must have her weight on one foot and never on both feet. In this way she always has one foot free to take the next step.

It is also very important that the man's torso begins the lead, so that the arms simply follow as extensions of the torso. In other words, the man rotates his torso and his arms go with the movement as if the torso were one unit. This "unit" should not be rigid, as his arms must transmit to the woman what it is happening in his torso and thereby where and how she must move next.

It's essential that these movements be performed without force or excessive tension. If the couple find that force is required or that they are unduly tense they should stop and check that they are performing the exercise correctly.

In figure 1 we see the man in the basic position, without the woman, his hips are in line with his shoulders, he is standing normally and facing front.

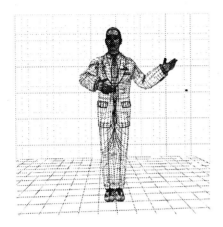 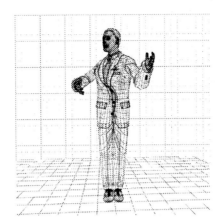 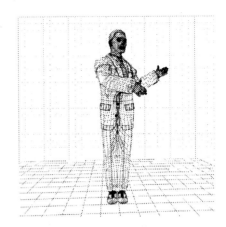

En la figura 2 vemos como sus caderas están en la misma línea que en la figura 1, pero su torso ha girado hacia su derecha. Esto provocaría en la mujer un paso rodeando al hombre por su derecha.

En la figura 3 vemos como las caderas del hombre siguen en la misma posición, mientras que el torso está rotando para el lado izquierdo, lo que provocaría en la mujer que ésta haga un paso rodeándolo por la izquierda. Con este nuevo concepto, podemos empezar con el primer ejercicio. Gráfico 4

1- La mujer enfrente del hombre con la toma básica de tango. El hombre le marca a la mujer que lleve el peso del cuerpo a la pierna derecha (esto debe suceder en el lugar, ni el hombre ni la mujer despegan los pies del piso). Una de las formas de hacerlo es que el hombre mismo lleve su peso a la pierna izquierda mientras contiene a la mujer en sus brazos, llevándola así a que pase el peso a la pierna derecha. Esto nos da la posibilidad de que luego la mujer pueda hacer un paso con pierna izquierda, ya que le queda libre de peso.

Luego de que el hombre sabe que la mujer tiene el peso en la pierna derecha, desde su torso comenzará a rotar hacia su derecha como en la figura 1, conteniendo a la mujer entre sus brazos para que ésta sien-

In figure 2 we see that his hips are in the same position as figure 1 but his torso has turned to his right. This will lead the woman to step around the man to his right.

In figure 3 we see that the man's hips are in the same position while the torso is rotating to the left, leading the woman to step around him to his left. We can start the first exercise with this new element.
Diagram 4

1-The woman faces the man in the tango basic position. The man leads the woman's weight onto her right foot (this must happen in place, neither dancer has lifted a foot from the floor). One way of doing this is for the man to shift his weight to his left leg while he has the woman in his arms, making her transfer her weight to her right foot. This allows the woman to take a step with her left foot as if it were free of weight.

When the man feels the woman has her weight on her right foot, he will start to rotate to his right from the torso (as in figure 1, graphic 5). As he is holding the woman in his arms she can feel from his torso in which direction she must step. This way she will easily start stepping with her left foot

ta la dirección del paso. Con este simple movimiento la mujer iniciará un paso con pierna izquierda hacia la derecha del hombre.

Tomemos en cuenta que en las figuras donde el hombre está rotando solo, son rotaciones exageradas para que se vea como puede rotar su torso sin involucrar sus caderas. En los ejemplos donde vemos a la pareja, podemos apreciar un movimiento más real.

Gráfico 5

En la figura 2 vemos que la mujer está en el momento de pasar el peso de una pierna a la otra, mientras el hombre sigue rotando con el torso.

En la figura 3 la mujer ya tiene todo su peso en la pierna izquierda, liberando de peso la pierna derecha.

En la figura 4 la mujer termina juntando las piernas en la nueva posición, manteniendo su peso en la pierna izquierda hasta el nuevo paso.

Es importante recordar, que lo que inicia todo este desplazamiento es la rotación del torso del hombre. Y que cuando la mujer está haciendo el paso, el hombre se va acomodando para quedar siempre lo mas enfrentado posible (rotando sobre sus pies).

Por ahora no es importante la exacta prolijidad de los pies o el cuerpo, sino que podamos incorporar el funcionamiento de la marca de este paso. O sea, sincronizar la rotación del torso con el paso de la mujer.

to the man's right.

Bear in mind that the diagrams showing the man rotating his torso without his partner exaggerate the degree of rotation, to see how far he can rotate his torso without involving his hips.

In the diagrams showing the couple doing the exercise, we see a more realistic degree of rotation.

Diagram 5

In figure 2 we see the woman at the moment of transferring her weight from one foot to the other while the man continues rotating his torso.

In figure 3 the woman already has all her weight on her left foot leaving the right foot free. In figure 4 she has just finished bringing her legs together in the new position, keeping her weight on her left foot until the next step. Remember that it's the rotation of the man's torso that makes all this happen! When the woman is taking her step, the man is trying to keep his body as frontally oriented as possible in relation to hers (by pivoting on his feet). At the moment the exact position of feet or body is not very important. What is important is how the lead ("la marca") functions, i.e. how to synchronize the torso rotation with the woman's steps.

Gráfico 5

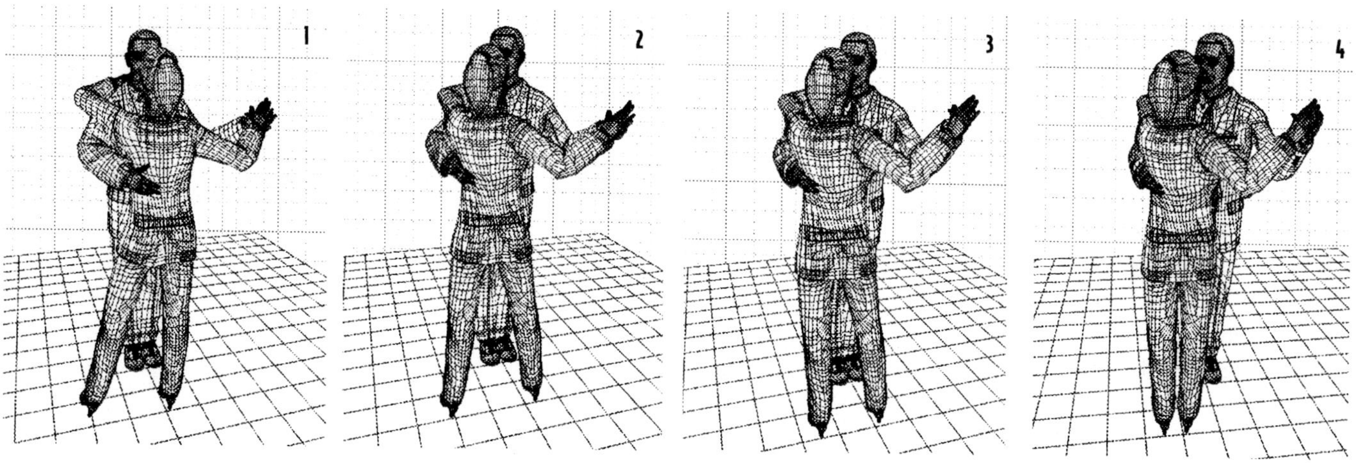

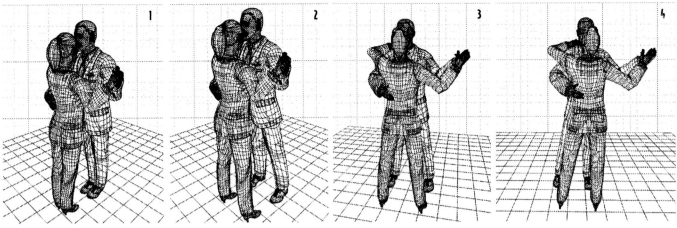

2- Desde la última posición en que quedó la pareja como en la figura 4, podemos hacer el paso en el sentido contrario. Es decir, que la mujer hará un paso con su pierna derecha volviendo a la posición original. El hombre le marca a la mujer este paso rotando su torso hacia la izquierda. Este paso debe practicarse en su ir y volver, repetidas veces, hasta encontrar cierta facilidad en su recorrido.

El hombre no debe forzar la marca del paso; el rotar del torso y la simple invitación con los brazos al movimiento, deben ser suficientes para hacer el paso.

3- En este ejercicio la mujer seguirá haciendo el mismo paso de un lado hacia el otro, y ahora el hombre en lugar de quedarse en el sitio hará un paso. El hombre va a hacer lo mismo que hace la mujer como si la mujer estuviera frente a un espejo.

La figura 1 nos muestra la posición inicial. El hombre marca a la mujer para que ésta tenga el peso en su pierna izquierda, esto lo puede hacer conteniendo a la mujer con sus brazos y pasando él mismo su peso a su pierna derecha.

Una vez que la mujer tiene la pierna derecha libre de peso y el hombre su izquierda, éste inicia el paso hacia su izquierda, como en la

2- From figure 4 of diagram 5 the step can be reversed:- the woman will step with her right foot, returning to the original position. The man leads this step by rotating his torso to the left. This step should be practiced back and forth repeatedly until it comes naturally.

The man mustn't force the lead: the torso rotation and the simple invitation to the movement given by his arms (from the torso) should be enough to make the step happen.

3- In this exercise the woman will go on taking the same steps from one side to the other but the man, instead of remaining in place, will take a step. He will do the same thing as the woman does, so that he is mirroring her. Figure 1 shows us the initial position.

The man leads the woman so that she has her weight on her left foot, he does this by holding the woman in his arms and transferring his weight to his right foot.

Once the woman has her right foot free and the man his left foot, he begins the step to his left as in figure 2. The woman takes the same step because

figura 2. La mujer hace el mismo paso, porque ella está intentando seguir siempre el torso del hombre. En la figura 3, los dos apoyan el peso en las piernas que estaban libres. En la figura 4, liberan las piernas que al principio tenían el peso del cuerpo. Y por último los dos juntan las piernas nuevamente y quedan como en la figura 1 pero con el peso del hombre en la izquierda y el de la mujer en la derecha. Esta secuencia deberá repetirse varias veces hacia los dos lados, hasta que ambos se sientan cómodos en el movimiento. El hombre en marcar a la mujer, y la mujer en seguir al hombre. Gráfico 6

4- Este ejercicio tiene el mismo funcionamiento que los ejercicios anteriores, con respecto a la marca del hombre y el seguir de la mujer. Aquí sólo explicaremos cuáles son las posibilidades que tiene la pareja, y el hombre es el que empezará a tener la responsabilidad de qué dirección van a tomar, y con qué pierna irán a hacer el paso.

La idea es que si partimos de la posición inicial, que está indicada en la figura 1 del ejercicio 3, el hombre puede pasarle el peso a la mujer a la pierna izquierda o derecha. Si el hombre le pasa el peso a la mujer a la pierna izquierda, la pierna derecha de la mujer será la que hará el paso, y si el hombre le pasa el peso a la derecha, será la pier-

she is trying to follow his torso.

In figure 3, both have their weight on the foot that was previously free. In figure 4, they have the foot free on which they had their weight at the beginning. Finally, they both join their legs and feet to arrive as in figure 1, except that the man's weight is on the left and the woman's on the right. This sequence should be practiced repeatedly to both sides until the couple feels comfortable with the movement.

The man leads the woman and she follows him.

Diagram 6

4-This exercise has the same function as the previous ones relating to the man's leading and the woman's following.

Here we only explain which possibilities the couple has, so the man will start to take the responsibility for which direction the couple is going to take and which foot they are going to step on.

The idea is that if we start in the initial position, as shown in figure 1 of exercise 3, the man can transfer the woman's weight to the left or right foot. If the man transfers the woman's weight to the left foot, her right foot will take the step, and if the man transfers her weight to the right, the left leg will take the step.

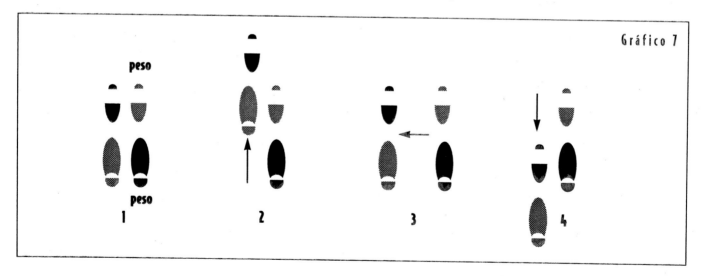

peso

peso

1   2   3   4

Gráfico 7

na izquierda la que hará el paso. Teniendo en cuenta lo dicho anteriormente, el hombre tendrá la posibilidad de hacer que la mujer pueda pisar adelante, al costado o hacia atrás con la pierna que esté libre de peso. Gráfico 7

En la figura 1 vemos la posición inicial en la cual el hombre pasa su peso a la pierna derecha, y le pasa el peso a la mujer a la pierna izquierda. Para hacer la figura 2, el hombre primero deberá pasarle el peso a la mujer a la pierna izquierda y él pasar su peso a la pierna derecha, como en la figura 1. Luego el hombre hará un paso hacia adelante provocando que la mujer dé un paso hacia atrás. La forma que tiene el hombre de indicar que hará un paso hacia adelante, es por medio de su torso. Es decir, que el movimiento del paso hacia adelante se inicia en el torso del hombre y luego en las piernas como en el caminar normal. En la figura 3, el hombre primero deberá pasar el peso como en la figura 1 y luego se desplazará hacia la izquierda conteniendo en sus brazos a la mujer, llevándola a hacer un paso hacia la izquierda del hombre. En la figura 4, el peso sigue siendo como en la figura 1, pero el hombre da un paso hacia atrás, conteniendo a la mujer en sus brazos, llevándola a hacer un paso hacia adelante. Luego de cada uno de estos pasos, la pareja deberá volver siempre a la posición inicial, como en la figura 1. Gráfico 8

En la figura 5, vemos que el hombre llevó a la mujer a tener el peso en la pierna derecha, y él tiene el peso en su izquierda; esta posición será la base para los próximos tres pasos.

En la figura 6, la mujer tiene el peso en la derecha y el hombre en la izquierda, luego el hombre inicia el movimiento con su torso hacia adelante, y hace un paso hacia adelante con la pierna derecha, provocando que la mujer retroceda con la izquierda.

En la figura 7, el hombre se desplaza hacia la derecha llevando consigo a la mujer hacia la derecha.

En la figura 8 el hombre hace un paso hacia atrás, trayendo a la mujer que hace un paso hacia adelante.

Bearing in mind the previous instructions, the man will have the possibility of leading the woman to step forward, sideways or backwards with the free foot.
Diagram 7

In figure 1 we see the initial position where the man transfers his weight to the right foot whilst transferring his partner's weight to the left foot.
To achieve figure 2, the man will first transfer the woman's weight to her left foot whilst shifting his weight to his right foot, as shown in figure 1. Then he will take a step forward causing the woman to take a step backwards. He indicates he is going to take a step forward through his torso: The movement of the forward step begins in the man's torso and continues through to his legs and feet as in a normal walk.

In figure 3, the man first transfers his weight as in figure 1, he then shifts to the left holding the woman in his arms, leading her to take a step to his left. In figure 4, the couple keep their weight positioned as in figure 1, but the man takes a step backward, holding the woman in his arms and leading her to take a step forward.

After performing each of these steps, the couple should return to the initial position, as shown in figure 1.
Diagram 8

In figure 5, the man has led the woman to have her weight on her right foot and he has his weight on his left; this position forms the basis for the next three steps.

In figure 6, the woman has her weight on the right and the man on the left, the man starts the movement with his torso forward and takes a step forward with the right foot, causing the woman to step backwards with the left.

In figure 7, the man shifts to the right taking his partner with him.
In figure 8, the man takes a step backwards, leading his partner to take a step forwards.

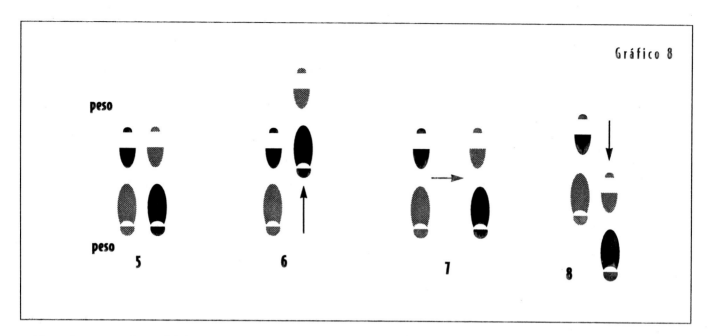

peso

peso

5   6   7   8

5- Tomando en cuenta las posibilidades que tenemos, el hombre deberá alternar en cualquier orden los pasos anteriores. Es importante que la mujer se relaje y se deje llevar. El propósito de este ejercicio es que el hombre decida qué paso van a hacer, sin que la mujer lo sepa de antemano. Esto es el primer paso para la improvisación, donde el hombre está decidiendo en el momento qué paso van a hacer, y la mujer esta comprendiendo en el momento hacia dónde debe ir.

6- El hombre comenzará caminando hacia adelante, como en la lección 2, y deberá empezar a intercalar pasos hacia los costados en medio de su caminata. En los siguientes ejemplos veremos algunas de las posibilidades que hay para improvisar, pero sabiendo que son unas pocas posibilidades dentro de la gran cantidad de variedad en la cual el estudiante de tango debe investigar.

En el ejemplo 9 vemos que el hombre camina normalmente hasta el paso cuatro, luego hace un paso con su pierna izquierda hacia su izquierda, para seguir caminando hacia adelante. Antes de hacer el pa-

5- As we now have a number of possibilities, the man must change or rotate the order in which he performs these steps. It's important for the woman to be relaxed and to allow herself to be led. The purpose of this exercise is for the man to decide which steps they will take, without the woman knowing beforehand. This is the first step in improvisation, where the man is making up his mind in the moment which step they will take, and the woman understands in the moment where she must go.

6-The man begins walking forward, as in lesson 2, here he must start to take steps to the side as he walks. We'll look at some of the possibilities there are for improvisation in the following examples, bearing in mind that they are but a few of the possibilities amongst the very many the tango student can learn or create.

In example 9 the man walks normally until step four, then he takes a step with his left foot to the left, to go on walking forward. Before taking step number 5, it's important the man's left (stepping) foot move through the

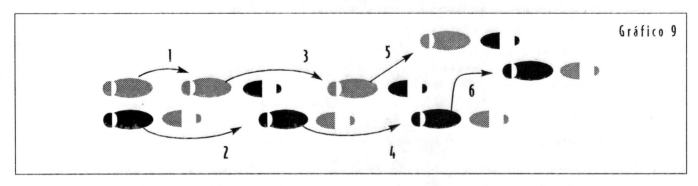

Gráfico 9

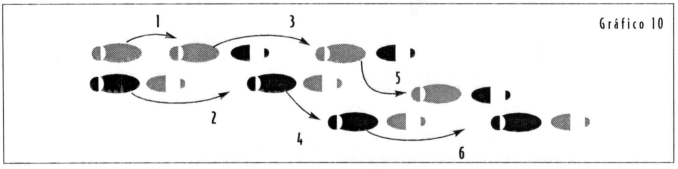

Gráfico 10

so numero 5, es importante que la pierna izquierda del hombre que es la que hace ese paso, pase por la posición de juntar las piernas.

La mujer en este caso acompaña al hombre con los mismos pasos, como si estuviera mirándose en un espejo. Esta referencia para la mujer es sólo explicativa, ya que el hombre tiene que estar marcándole qué es lo que ella tiene hacer.

En el ejemplo 10 tenemos al hombre utilizando un paso hacia su derecha, dentro del caminar normal. El paso hacia la derecha lo hace en el paso 4, y luego sigue caminando hacia adelante. Es importante recordar que el pie del hombre que está en la secuencia con el numero 3, pasa por la posición de juntar antes de dar el paso 5.

La mujer está en la misma situación, pero en espejo. La mujer también debe cuidar de juntar los pies antes de dar el paso numero 5.

La secuencia 11, utiliza dos cambios de dirección. El hombre camina

basic "joined legs" position.

The woman accompanies the man with the same steps as though she were mirroring him. This is merely a physical reference for the woman, as she should be following the man's lead.

In example 10 the man uses a step to his right in his normal walk. He takes the step to the right at step four and goes on walking forward. It's important to remember that the man's foot in sequence number 3, goes through the "joined legs" position before making step 5.

The woman's movement again mirrors the man's. She must also take care to join the feet before taking the step 5.

Sequence 11 uses two changes of direction. The man walks forward nor-

hacia delante normalmente hasta llegar al paso número 3. Cuando tiene el peso en el pie número 3, hace un paso hacia su derecha el numero 4, y luego vuelve a la misma posición que tenía el número 3, que la vamos a llamar ahora número 5. Luego sigue caminando hacia adelante normalmente. Podríamos también decir que es como un balanceo y volver a caminar.

La mujer acompaña en espejo toda la secuencia, juntando los pies después de cada paso.

La secuencia 12, se diferencia de la 11, sólo en que el hombre utiliza la dirección izquierda para hacer el balanceo.

Estas secuencias son sólo ejemplos de lo que se puede hacer. El punto más importante es que el hombre pueda progresar en su habilidad

mally till reaching step number 3. When he has his weight on his foot as in number 3, he takes a step to his right as in number 4, to come back to the same position as number 3, we will call this number 5. He goes on walking forward normally. We could also say that this is like swinging away from and returning to the normal walk.

The woman accompanies all of these sequences mirroring the man and joining her feet after each step.

Sequence 12 is different from 11 only because the man moves to the left to do the swinging step.

These sequences are examples of what can be done. The most important point is that the man must improve his ability to lead the changes unex-

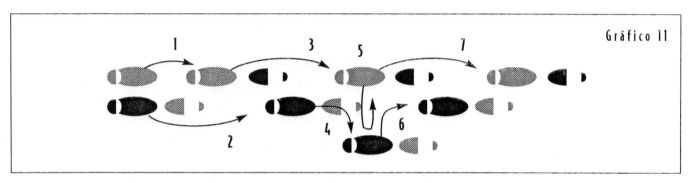

Gráfico 11

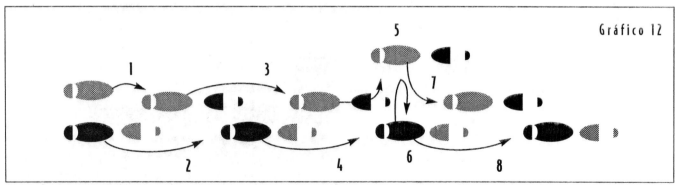

Gráfico 12

de marcar estos cambios improvisadamente, y que la mujer encuentre la forma de dejarse guiar y seguir los cambios que el hombre le esté marcando.

Estos ejemplos que siguen a continuación son de la misma clase que los anteriores, es decir estamos combinando el caminar con un paso al costado. En estos nuevos ejemplos el hombre estará caminando hacia atrás y la mujer hacia adelante.

En el gráfico 13, vemos un simple caminar del hombre hacia atrás, y la mujer hacia adelante.

En el gráfico 14, vemos cómo el hombre en el paso 3, detiene su marcha para hacer un paso hacia su izquierda con la pierna izquier-

pectedly and that the woman must improve her ability to allow herself to be led and to follow the changes of direction in which the man is leading her.

The following examples are of the same kind as those previously shown: where the couple put the walk together with a step to the side. In these new examples the man will walk backwards and the woman forwards.

In diagram 13, the man performs a simple walk backwards and the woman a simple walk forwards.

In diagram 14, we see how the man stops at step 3 to take a step to his left with his left foot and then continue the walk backwards. The man must

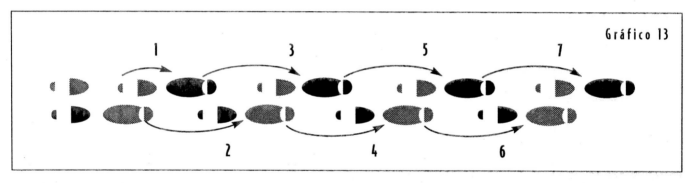

Gráfico 13

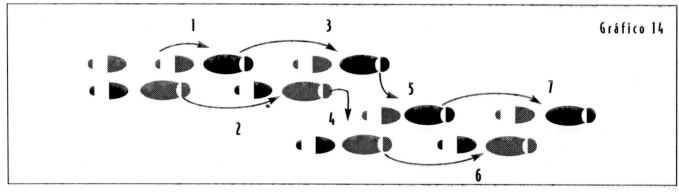

Gráfico 14

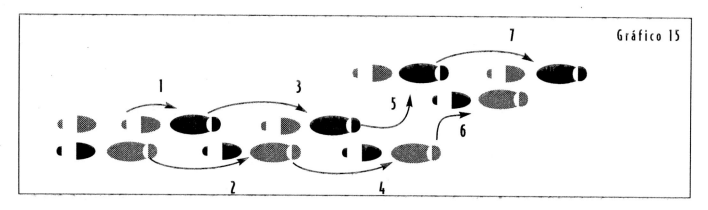

Gráfico 15

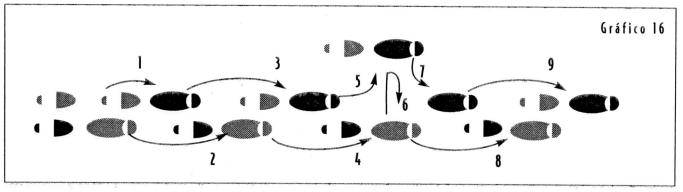

Gráfico 16

da, para luego retomar el caminar hacia atrás. El hombre debe marcar a la mujer que ésta lo siga en espejo durante todos los pasos.

El ejemplo 15 es parecido al anterior, pero con la diferencia de que esta vez el hombre hace un paso hacia la derecha después del paso 4. Debemos recordar que después de cada paso debemos juntar las piernas antes de hacer el paso siguiente.

En el Gráfico 16, el hombre se detiene en el paso 4, para hacer el paso 5 hacia la derecha, la pierna izquierda junta y vuelve a pisar donde estaba, este es el paso 6. Luego, continúa su marcha hacia atrás y la mujer hacia adelante.

En el Gráfico 17, el hombre se detiene en el paso 3, para hacer el paso 4 hacia la izquierda, la pierna derecha junta y vuelve a pisar don-

lead the woman so that she mirrors him at all times.

Example 15 is similar to the previous one, the difference here is that the couple takes a step to the man's right after step four. After each step remember to join the legs before taking the next step.

In the diagram 16, the couple stops at step 4 to take step 5 to the man's right, the left leg joins and comes back to step where it was, this is step 6. The man continues his progress backward and the woman forwards.

In the diagram 17, the man stops at step 3 to take step 4 to the left, the right leg joins the left and comes back to step where it was, this is step 5. He

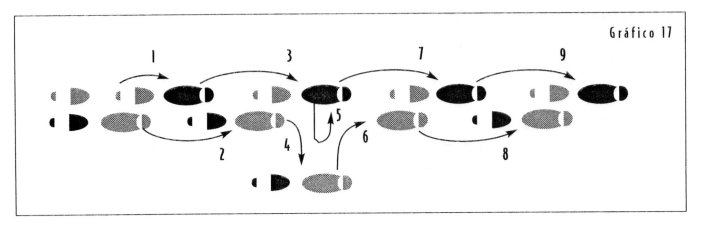

de estaba, este es el paso 5. Luego continúa su marcha hacia atrás y la mujer hacia adelante.

Volvemos a repetir que estas combinaciones después de estar familiarizados con ellas, debemos practicarlas improvisadamente.

continues his progress backwards and the woman her progress forwards. This sequence is repeated.

Once these combinations have been learned they should be practiced in a random order in so as to keep the element of improvisation.

Lección 5

El Caminar

En esta lección, la pareja aplicara lo aprendido en las lecciones anteriores, e incorporará nuevos elementos que pertenecen al simple caminar de una persona frente a otra.

Un concepto a tener en cuenta es que la mujer tiene siempre el peso del cuerpo en una sola pierna, nunca en las dos. Siempre tiene una pierna libre, que es la pierna que el hombre puede controlar. Y la mujer pasa siempre por la posición de tener sus piernas juntas, antes de dar cada paso. Hasta el momento el hombre y la mujer siempre han caminado el uno frente al otro. Y cuando el hombre pisa con derecha la mujer con izquierda, y cuando el hombre pisa con izquierda la mujer lo hace con derecha.

Gráfico 18

Lesson 5

The Walk

In this lesson, the couple will apply what they have already learnt in previous lessons and will incorporate new elements that belong to the simple walk of one person in front of the other.

Don't forget that the woman always has her weight on one foot, never on two. She always has one foot free, which corresponds to the foot and leg the man is able to control. The woman always passes through the "joined legs" position before taking each step.

So far the man and the woman have always walked in mirror opposition to each other, i.e. when the man steps with the right foot, the woman does with the left and when the man steps with the left, the woman does with the right.

Diagram 18.

En este primer ejemplo gráfico, vemos que el hombre camina hacia adelante, y la mujer hacia atrás enfrentados, y siempre con la misma relación de piernas, cuando el hombre pisa con derecha, la mujer lo hace con izquierda; y cuando el hombre pisa con izquierda la mujer lo hace con derecha.

1- En este ejercicio, el hombre comenzará a caminar con los mismos pasos que en el ejemplo anterior, pero por el lado derecho de la mujer. Debe notarse que se mantiene siempre la misma relación de piernas, cuando el hombre pisa con izquierda, la mujer pisa con derecha, y cuando el hombre pisa con derecha la mujer pisa con izquierda. La ubicación específica de los pasos es relativa a la diferencia de la contextura física de los bailarines. Lo importante es que para poder caminar cómodamente por el lado derecho de la mujer, la pareja debe acomodar el abrazo para que esto sea posible. No hace falta intelectualizar al respecto. Por ahora es como más cómodo le quede a la pareja, y lo importante es conservar la relación entre las piernas del hombre y la mujer. Gráfico 19

In this first diagram, we see the man walk forwards and the woman walk backwards, in front of each other, always with the same foot and leg relationship:- the man's right foot and leg to the woman's left foot and leg, his left foot and leg to her right - mirror opposites.

1-In this exercise the man will walk using the same stepping pattern as above but to the woman's right. Keeping the same leg relationship, when the man steps with the left woman steps with the right and vice versa. Where the steps fall depends on the build of the dancers' bodies.

For the man to walk comfortably by the woman's right side, the couple has to find the right position for their arms.

There is no need to intellectualize this, for the present it's best to do whatever is most comfortable for both, as it is the relationship between the couple's legs that is currently most important.

Graphic 19

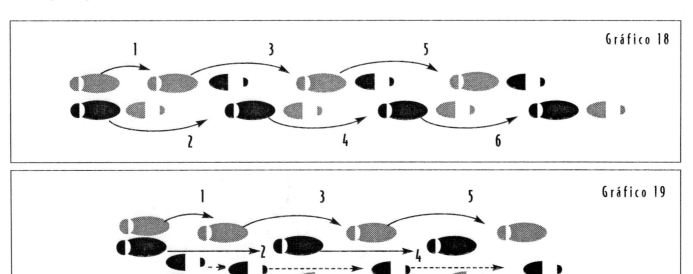

Gráfico 18

Gráfico 19

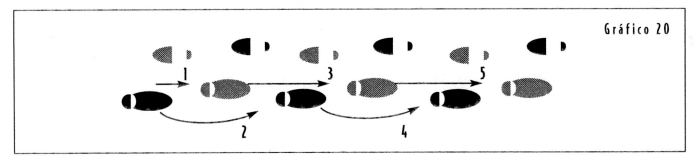

2- Ahora el caminar del hombre es por el lado izquierdo de la mujer. Manteniendo la relación de piernas, es decir que cuando la mujer pisa con derecha el hombre pisa con izquierda, y cuando la mujer pisa con izquierda el hombre pisa con derecha. También en este caso los dos deben modificar el abrazo para que el hombre pueda caminar por el lado izquierdo de la mujer. El abrazo debe ser relajado y sin presiones. Una forma natural de hacer este ejercicio es, sin estar abrazados, ubicar los pies en el lugar del gráfico, y luego tomarse para poder caminar. Gráfico 20

3- En este ejercicio tomaremos el ejercicio 1 y 2 y le invertiremos la dirección. Es decir que el hombre estaba caminando hacia adelante y la mujer hacia atrás, y ahora el hombre caminará hacia atrás y llevará a caminar a la mujer hacia adelante. Lo único que tienen que hacer es empezar los pasos desde el número 5 al número 1 como se indica en los gráficos de los ejercicios 1 y 2 (gráficos 18, 19 y 20). La toma de los brazos es igual que en los ejercicios anteriores, lo único que se modifica es la dirección , el hombre hacia atrás y la mujer hacia adelante.

Podemos resumir con estos 3 ejercicios, que el hombre tiene tres formas de caminar . Una es por la derecha de la mujer, la otra de frente a ella y la última es por la izquierda de la mujer. Estas tres diferentes formas que el hombre puede utilizar para caminar, tienen tres nombres específicos que son: el lado abierto, de frente y el lado cerrado. El lado derecho de la mujer es llamado el lado abierto, cuando el hombre camina de frente lo llamamos de frente, y cuando el

2- The man walks to the woman's left. Keeping the same leg relationship: when the woman steps on the right foot, the man steps on the left and vice versa. In this case both of them must modify their arm position to allow the man walk to the woman's left.

The embrace must be relaxed and without tension. A helpful way to practice this exercise is to do so without the embrace, placing the feet as shown in the diagram.
When this comes easily try the same exercise with the embrace.
Diagram 20.

3-This exercise incorporates exercises 1 and 2, reversing the direction.
So if the man were walking forward and the woman backwards, now he would walk backwards and the woman forwards.
The only thing they must do is start the steps from number 5 to 1 as shown in the diagram of exercises 1 and 2 (diagrams 18, 19 and 20).
The arm hold is the same as in the previous exercises only the direction has changed; the man walking backwards and the woman forwards.

We can sum up these exercises by saying that the man has three ways of walking. One is to the woman's right, another is in front of her and the third is to the woman' left. These three different ways the man can use to walk, have three specific names, they are: "open side", "front" and "close" side. The woman's right is called the "open side"; when the man walks forward we call it "front" and when he walks to the woman's left side we call it "close" side.

hombre camina por el lado izquierdo de la mujer lo llamamos el lado cerrado. El lado izquierdo de la mujer que se une al hombre con el lado derecho, lo llamamos cerrado porque los cuerpos están más juntos o más próximos que cuando el lado derecho de la mujer se enfrenta al lado izquierdo del hombre. Y lo que llamamos de frente no hace falta explicarlo.

4- Para seguir con la improvisación, ahora el hombre pasa de un lado al otro de la mujer con la misma relación de piernas que anterior-

When the woman's left side joins to the man's right side, we call it close because the bodies are nearer than when the woman's right side is in front of the man's left side. There is no need to explain what we call the front.

4-To continue with the improvisation - now the man passes from one side of the woman to the other with the same leg relationship as before, moving forward. As seen in diagram 21. The man's first step is in front of the woman, taken with the left foot; the second step with the right foot is taken to the open side of the woman. Step 3 returns to the front, facing the

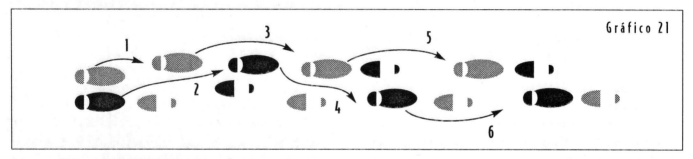

Gráfico 21

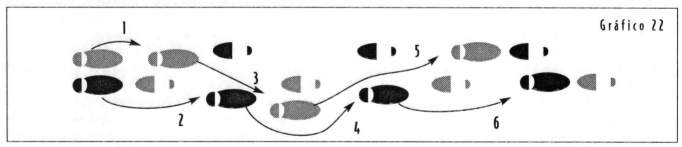

Gráfico 22

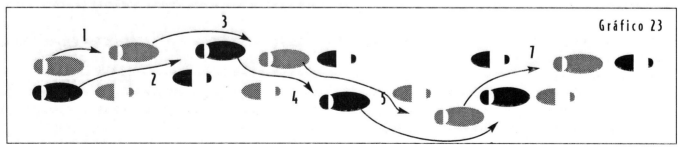

Gráfico 23

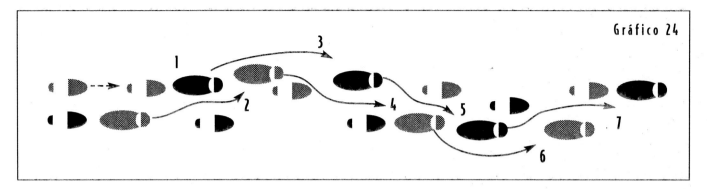

mente, y hacia adelante. Como se ve en este gráfico 21. El primer paso del hombre es de frente a la mujer con pierna izquierda, el segundo con pierna derecha lo hace por el lado abierto. El paso 3 vuelve a hacerlo de frente a la mujer igual que el paso 4,5 y 6. Gráfico 21

En el gráfico 22, vemos cómo el hombre inicia un paso con pierna izquierda hacia adelante de frente a la mujer, luego el paso dos con derecha también de frente . En el paso 3, la izquierda del hombre pasa al lado cerrado, para luego volver de frente a la mujer con el paso 4 y los siguientes. Gráfico 22

En el gráfico 23, el hombre inicia el paso con pierna izquierda hacia adelante. El paso 2 es por el lado abierto de la mujer. El paso 3 con izquierda vuelve a enfrentar a la mujer. El paso 4 también es de frente a la mujer. El paso 5, es con izquierda y por el lado cerrado. Luego, el hombre vuelve a caminar de frente con los pasos siguientes. Gráfico 23

El gráfico 24, es el primero donde comenzamos a ver que el hombre está caminando hacia atrás y la mujer hacia adelante.
El primer paso del hombre es hacia atrás con la pierna derecha. El segundo es con izquierda y es por el lado cerrado de la mujer. El tercero es con derecha y por el frente de la mujer. El cuarto también es por el frente. El paso 5 el hombre lo hace por el lado abierto, para

woman as with steps 4, 5 and 6.
Diagram 21.

In Diagram 22, we see how the man's first step is taken with the left foot forward in front of the woman.
Step two, taken with the right foot, is to the front also but at step 3, the man's left foot passes to the close side, then continuing forward in front of the woman with step 4 and the subsequent step.
Diagram 22

In Diagram 23, the man begins with the left foot forward. Step 2 is to the woman's open side. Step 3, with the left, goes back to the front, facing the woman. Step 4 is also in front of the woman. Step 5 is with the left and to the close side. Then the man returns to a front forward walk with the following steps.
Diagram 23.

Diagram 24 is where we begin to see the man walking backwards and the woman forwards.
The man first steps backwards with the right foot. His second step is with the left and is by the woman's close side. The third step is with the right and to the front of the woman. The fourth step is to the front also. In step 5 the man moves to the open side, then taking steps 6 and 7 to the front to con-

luego hacer el 6 y 7 por el frente y seguir caminando normalmente.
Gráfico 24

Para que esta práctica sea efectiva, el hombre debe marcarle a la mujer que ésta debe caminar en línea recta, mientras que el debe poder moverse libremente pasando del lado cerrado de la mujer, al frente y al lado abierto, caminado hacia adelante y hacia atrás. Estos ejemplos son sólo algunas de las posibilidades de combinar estos pasos. El estudiante debe experimentar, cambiar, modificar y hacer sus propios ejemplos. El motivo central de este aprendizaje es el de poder improvisar, y decidir en el momento hacia donde caminará la pareja.

tinue walking normally.
Diagram 24.

-This practice will be effective if the man leads the woman to walk in a straight line, while he moves freely passing from the women's close side, to the front, to the open side, walking forwards and backwards. These are only some of the possibilities for putting these steps together, the student has to experience, change, modify and create his own versions. The main purpose of this practice is to improve the ability to improvise and to decide, in the moment, where the couple will walk next.

Lección 6

Giros

Lesson 6

Turns

En esta lección veremos algunas de las posibilidades que tenemos de giros. Toda la lección será sobre cuál es la correcta disposición de los pasos, para que la mujer pueda hacer un giro alrededor del hombre, y viceversa.
Para este ejercicio la persona que estará en el medio del giro, o la que funcionará como eje, deberá rotar sobre su mismo lugar, como le quede mas cómodo, y sin preocuparse de la colocación de los pies.

1- Este ejercicio es un giro hacia la derecha del hombre. El hombre en el centro y la mujer rodeándolo. En este caso, el hombre funciona como eje del centro de giro, y la mujer está caminando alrededor de él.
Veamos los pasos de la mujer. La secuencia comienza con la mujer y el hombre enfrentados. El hombre le pasa el peso a la mujer a la pierna derecha. Con la rotación del torso, el hombre comienza a llevar a la mujer hacia la derecha. Ésta hace un primer paso con su pierna iz-

In this lesson we will look at the possibilities of turns. The whole lesson will be about the correct way for the woman to step, turning around the man and vice versa.
For this exercise, the person who will be in the middle of the turn - who will function as the turn's axis, must rotate in place in the way they find most comfortable, without worrying about the position of the feet.

1-The first exercise is a turn to the man's right. The man is in the center and the woman moves around him. In this case the man works as the axis of the turn, and the woman is walking around him.
The sequence starts when the man and the woman are facing each other. The man transfers the woman's weight to her right foot and begins to lead her to his right with his torso rotation. The woman steps with her left foot; the second step is with her right foot and it passes before the left (in front of her left foot) as shown in the diagram. The third step is onto her left foot but before making the fourth step, the woman must rotate on her left foot,

quierda. El segundo paso es con su derecha que pasa por delante de la izquierda como esta indicado en el gráfico. El tercer paso es con pierna izquierda. Antes de hacer el cuarto paso, la mujer debe rotar cuando tiene el peso en la pierna izquierda, dándole así la posibilidad de poder pasar la pierna derecha para hacer el paso 4. El paso 5 la mujer lo hace con izquierda. El paso 6 es con derecha y pasa por delante de la pierna izquierda (cuando decimos por delante nos referimos desde el punto de vista del hombre).

El hombre para que la mujer comience a girar hacia la derecha, debe indicarle con la rotación de su torso hacia la derecha y conteniéndola entre sus brazos . Esta marca no debe ser un tironeo sino una suave invitación a la mujer a que tome esta dirección. El hombre debe cambiar la postura de sus pies como lo necesite. Lo único importante para este ejercicio, es que indique a la mujer el giro, y que la mujer practique estos pasos. Esta secuencia debe ser practicada teniendo en cuenta que los pasos de la mujer deben ser siempre a la misma distancia con respecto del eje de rotación, que en este caso es el hombre. También hay que considerar que la mujer al hacer estos pasos no debe utilizar el abrazo para sostenerse o ayudarse. Mientras

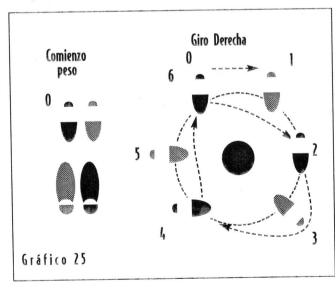

Giro Derecha

Comienzo peso

Gráfico 25

allowing the right foot to pass behind the left in order to take the fourth step. The woman takes her fifth step with her left foot. The sixth step is with right foot and passes before the left foot (when we say "before" we mean in front of her opposite foot and to the man' side).

When the man wants the woman to start a turn to the right, he must show her with his torso rotation and have her in front of him, between his arms. This lead should be gentle, a delicate invitation to take that direction.

The man may change the position of his feet as nescessary. The only important points to emphasize about this exercise are how the man leads the woman in the turn and that she must take time to practice these steps.

This sequence should be practiced bearing in mind that each of the woman's steps must be exactly the same length in size, this length is determined by the axis of rotation, which depends on the man's lead. Any difficulty the woman encounters with her balance whilst turning may have to do with the embrace. The position of the torso should be easy and relaxed and the arms should accompany its' movement.

A major hip rotation takes place when the woman has her weight on her left foot in step number 3, where she will have to pass her right leg behind the rotating left leg.

In the diagram showing the right turn, the arrows are indicating the line of movement of the woman's right foot.
Diagram 25.

2-This exercise consists of a turn to the man's left. The man and the woman are facing each other.
The man leads the woman's weight onto her left leg, to enable her take her first step with her right foot.
Then, her left foot passes before the right, as shown by the arrow, to reach position no. 2. Her right foot steps into position 3. Her left leg now follows the path behind the right leg, that is rotating to reach foot print 4 (the embrace has to be relaxed for the torsos to be comfortable).

que la postura de los torsos debe ser relajada y permitiendo que los brazos acompañen el movimiento.

La mayor rotación de las caderas debe suceder cuando la mujer tiene el peso en el paso numero 3, donde ella deberá pasar su pierna derecha por detrás de la izquierda que está rotando.

En el gráfico de giro hacia la derecha, las flechas están indicando el recorrido del pie derecho de la mujer. Gráfico 25

2- Este ejercicio será de un giro hacia la izquierda del hombre. La mujer y el hombre están enfrentados. El hombre le pasa el peso del cuerpo a la mujer a la pierna izquierda, para que ésta pueda hacer el primer paso con pierna derecha. Luego la pierna izquierda pasa por delante de la derecha como está indicado en la flecha, para llegar a la pisada 2. La pierna derecha pisa en la posición 3. La izquierda ahora, toma el recorrido por detrás de la pierna derecha, que está rotando para permitir llegar a la pisada 4 (el abrazo debe ser relajado y cediendo, para la comodidad de los torsos). La pisada 5 la mujer la hace con derecha que pasa por delante de la izquierda. Y para llegar a la pisada 6, la mujer pasa la pierna izquierda por delante de la derecha, donde este mismo lugar se convierte en el inicio de otro nuevo giro. Gráfico 26

Es importante practicar estos giros hasta que la mujer encuentre cierta fluidez y naturalidad en los pasos. El hombre debe marcar suavemente la dirección del giro, que debe ser constante.

Estos giros hacia la derecha y hacia la izquierda pueden ser realizados por la mujer, como se muestra en los gráficos, o puede ser el hombre el que gire alrededor de la mujer.

El único cambio que hay que tener en cuenta, para que sea el hombre el que gire alrededor de la mujer es que la mujer quede como centro de giro. Para esto el hombre debe poner el peso de la mujer en una de sus piernas, y hacer que esta rote en la pierna en la cual ella puso su peso. Para esto el hombre, independientemente de que debe hacer los pasos como están indicados en los gráficos, debe contener a la mujer que está sobre una de sus piernas, para que esta no

The woman's right foot passes in front of the left to reach position 5. To reach foot print 6, the woman passes her left foot before the right, arriving at the same position for the start of a new turn.
Diagram 26.

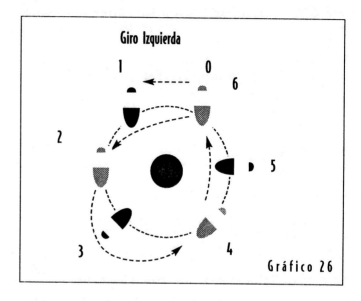

Giro Izquierda

1   0   6
2
5
3   4

Gráfico 26

It's important that the couple practice these turns until the woman can perform the step sequence in a fluid and natural way. The man should continue leading the direction of the turns delicately and smoothly.
The woman can perform these turns to the right or the left, as shown in the diagrams. The man can perform the same turns around the woman - in this case the only change that needs to be made is for the woman to become the axis of the turn. To achieve this, the man has to lead the woman's weight onto her right or left foot and lead her to rotate on this foot. He has to take the steps independently as they are shown in the diagram and must hold the woman, so that she maintains her position, rotating on one foot.
Although the way of turning can be the same with the man performing the same steps as the woman when he moves around her as the axis of the

se traslade y quede girando en una pierna. Aunque la forma de girar puede ser la misma, es decir que cuando la mujer gira alrededor del hombre hace los mismos pasos que si el hombre girara alrededor de la mujer, la marca del hombre es completamente diferente, si queremos que el giro sea de una forma improvisada (es decir el hombre marca y la mujer lo sigue). Debemos evitar el que la mujer comience a girar de una manera automática y sin sentir la marca del hombre. Como también que el hombre se acostumbre a que la mujer gire sola sin que él le esté marcando la dirección del giro.

turn, his lead will be different if the turn is to be part of the improvisation.

In other words, even when he is moving around her, it is still he who is leading the improvisation and she who is following.

The woman must take care not to start turning automatically without feeling the man's lead.
In addition, it's important that the man lead the direction of the turn.

Lección 7

Improvisación

En esta lección aprenderemos a mezclar improvisadamente lo que hemos aprendido en las lecciones anteriores. En la lección 5, aprendimos traslados en todas las direcciones: hacia atrás, hacia adelante, hacia la derecha y hacia la izquierda; la única premisa es que siempre se mantiene la misma relación de piernas entre el hombre y la mujer. Es decir, cuando el hombre pisa con derecha la mujer lo hace con izquierda, y cuando el hombre pisa con izquierda la mujer lo hace con derecha. En la lección 6, aprendimos giros hacia la derecha y hacia la izquierda, donde uno de los dos está ubicado en el centro del giro, mientras el otro gira a su alrededor. Ahora combinaremos estos elementos.

1- El primer ejercicio consiste en tomar una dirección donde el hombre camina hacia adelante y la mujer hacia atrás. En el momento en que la mujer tenga el peso del cuerpo en la pierna derecha, el hombre detendrá su marcha e iniciará un giro de la mujer hacia la derecha. Explicaremos con un ejemplo, y luego de analizarlo, se deberá practicar improvisadamente, para que el hombre aprenda a marcar y la mujer a seguir.

Lesson 7

Improvisation

In this lesson we will learn to combine the step sequences learned in previous lessons. In lesson 5 we learnt to move in all directions: back, forward, to the right and to the left; the only premise being to always keep the same "legs" relationship between the man and the woman. In other words when the man steps on the right foot the woman steps on the left and vice versa.

In lesson 6, we learnt turns to the right and to the left, where one of the two dancers takes the central axis of the turn while the other moves around them. Now we will combine all these elements.

1-The first exercise consists of the man taking a forward direction leading the woman backwards. When the woman has her weight on the right leg, the man will stop his progress forward and the woman will start a turn to the right.
We'll explain with an example and after analyzing it, will practice the improvisation in order that the man learns to lead and the woman to follow.

El hombre y la mujer enfrentados, el hombre le pasa el peso a la pierna izquierda de la mujer y sale caminando con la pierna izquierda hacia adelante y ella con la pierna derecha hacia atrás. El paso número 2 es con la derecha del hombre y la mujer la izquierda hacia atrás. El paso 3 es con la izquierda del hombre, donde aminorará la marcha previendo que en donde pise ese será el centro del giro, como lo indica el círculo en el pie. El hombre debe tener en cuenta que este paso 3 debe ser un poco más corto y hacia el centro de la mujer, para obtener un poco de distancia y poder girar mas cómodamente.

El pie de la mujer que esta indicado con el numero 0, es el mismo pie numero 0 de la lección anterior en el giro hacia la derecha. El círculo de centro de giro también está indicado para el hombre. En esta posición, el hombre debe iniciar un giro completo hasta llegar nuevamente a la misma posición (como se explica en la lección anterior).

Luego de llegar a la misma posición, podrán seguir caminando el hombre hacia adelante y la mujer hacia atrás enfrentados.

Gráfico 27

2- En el gráfico 28, vemos como se puede insertar un giro hacia la izquierda en una caminata hacia adelante.

Hasta el paso numero 3, es una caminata normal del hombre hacia adelante y la mujer hacia atrás.

Antes del paso 4 el hombre debe calcular que tiene que hacer un paso más corto y un poco hacia el centro, que es donde el va a tomar

The man and the woman are facing each other, he leads the woman to transfer her weight onto the left foot and begins walking with the left foot forward leading the woman backwards onto her right foot. Step number 2 is with the man's right foot and the woman's left foot. Step number 3 is with the man's left foot, where he will slow down his progress to where he steps onto his left, which will be the center of the turn (the point where he places his foot marks the center of the turn). The man must be aware that step number 3 will be shorter and towards the woman's center, to allow enough distance for the turn to happen comfortably.

The woman 's foot, indicated with a 0 in the diagram, is the same foot marked 0 in the previous lesson for the right turn. The circle made by the center of the turn is also marked for the man. In this position, the man must make a complete turn until he reaches the same position again (as explained in the previous lesson).

After reaching the same position, the couple may continue walking face to face, the man forward and the woman backward.

Diagram 27

2-In Diagram 28, we see how a turn to the left can be put into a forward walk. The couple do a normal walk until step number 3, the man forwards and the woman backwards.

Before step 4 the man must calculate how short and how much to the center his step needs to be, this is the point at which he will make the center of

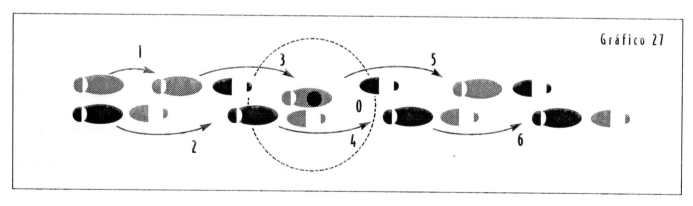

Gráfico 27

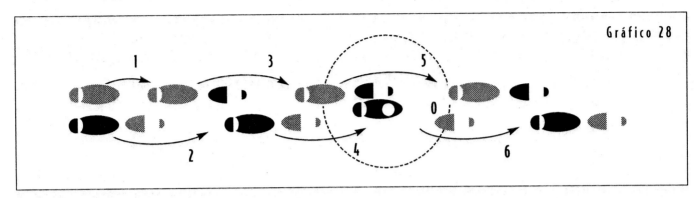

el centro del giro, para detenerse ahí. La mujer queda parada en su pierna izquierda, y el hombre le marcará el inicio del giro hacia la izquierda con la rotación del torso como se explica en la lección anterior. Luego de volver a la misma posición antes del giro, podemos retomar una caminata del hombre hacia adelante y la mujer hacia atrás. Gráfico 28

3- Ahora el hombre camina hacia atrás y la mujer hacia adelante. En el momento en que la mujer tenga su peso en la pierna derecha, el hombre detendrá su marcha e iniciará un giro de la mujer hacia su derecha. Es importante recordar que para que el hombre se distancie un poco mas de la mujer antes del giro deberá hacer un paso en este caso mas largo que el de la mujer y hacia el centro, obteniendo así la distancia necesaria. Luego del giro, y adoptando la misma posición, la pareja puede seguir con el hombre caminando hacia atrás y la mujer hacia adelante.

4- El hombre camina hacia atrás y la mujer hacia adelante. En el momento en que la mujer tenga su peso en la pierna izquierda, el hombre detendrá su marcha e iniciará un giro de la mujer hacia su izquierda. Es importante recordar que para que el hombre se distancie un poco más de la mujer antes del giro deberá hacer un paso en este caso más largo que el de la mujer y hacia el centro, obteniendo así la distancia necesaria. Luego del giro, y adoptando la misma posición, la pareja puede seguir con el hombre caminando hacia atrás y la mujer hacia adelante.

the turn. The woman stays on her left foot until the man leads her start her turn to the left with by rotating his torso as explained in the previous lesson. After arriving at the same position as before the turn, the couple may continue the walk, the man forward and the woman backwards.
Diagram 28

3-Now the man begins to walk backwards and the woman to walk forwards. When the woman has her weight on the right foot, the man will stop his progress and will lead the woman into a turn to his right. It's important for the man to make enough space between himself and his partner before he leads her into the turn, to do this he will have to take a longer step and to the center, giving the necessary distance. After the turn, the couple return to the same position, the man leading the walk backwards with the woman following forwards.

4-The man walks backwards and the woman forwards.
When the woman has her weight on her left foot the man will stop his progress and will start a turn to his left. He must get further when the woman turns so, in this case, he must take a longer step than the woman, and to the center, in order to make the nescessary space for the turn. After the turn, when the couple return to the beginning position, they continue walking, the man backwards and the woman forwards.

5- El hombre debe cambiar la caminata hacia atrás y hacia adelante, e iniciar giros hacia la derecha o hacia la izquierda improvisadamente, teniendo en cuenta las lecciones anteriores de cómo realizar estos cambios. También podemos ver en este gráfico cuáles son las posiciones que nos permiten girar hacia la derecha o hacia la izquierda, desde un paso hacia adelante del hombre o desde un paso hacia atrás. En el ejemplo 1 el hombre avanza con pierna izquierda y se para, para hacer centro en el lugar. La mujer está en su pierna derecha y comienza a girar hacia la derecha del hombre dando un paso con pier-

5- Here the man begins to alternate backwards and forwards walks and turns to the right or to the left as if it were an improvisation, remembering instructions from the previous lessons on how to make the changes. In this diagram we can also see which positions allow a turn to the right or to the left when the man steps forwards or backwards.

In example 1 the man steps forward with the left foot, stopping to focus what will be the center of the turn. The woman is on her right foot and starts to turn to the man's right making her first step with left foot and following with the remaining steps needed to complete the turn.

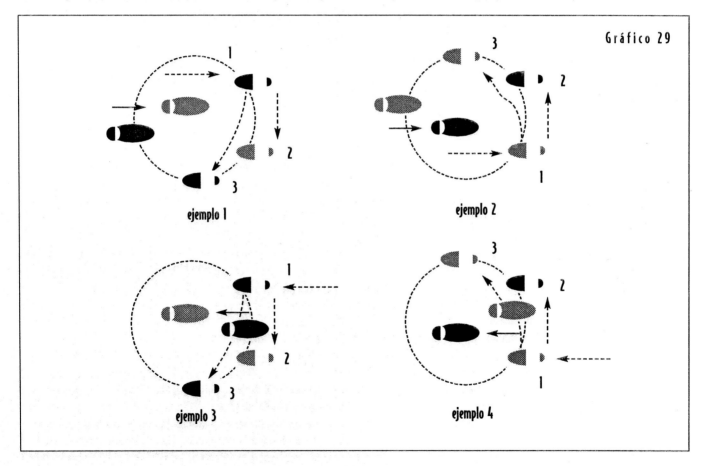

Gráfico 29

ejemplo 1

ejemplo 2

ejemplo 3

ejemplo 4

na izquierda y luego los pasos sucesivos hasta completar el giro.

En el ejemplo 2, el hombre avanza con pierna derecha y se para, para hacer centro en el lugar, la mujer está en su pierna izquierda y comienza a girar hacia la izquierda del hombre dando un paso con pierna derecha y luego los pasos sucesivos hasta completar el giro.

En el ejemplo 3 el hombre retrocede con pierna izquierda y se para, para hacer centro en el lugar. La mujer esta en su pierna derecha y comienza a girar hacia la derecha del hombre dando un paso con pierna izquierda y luego los pasos sucesivos hasta completar el giro.

En el ejemplo 4, el hombre retrocede con pierna derecha y se para, para hacer centro en el lugar. La mujer esta en su pierna izquierda y comienza a girar hacia la izquierda del hombre dando un paso con pierna derecha y luego los pasos sucesivos hasta completar el giro.

Gráfico 29

In the example 2, the man steps forward on right foot stopping in place, where he has decided to focus the center of the turn. The woman is on her left foot and begins to turn to the man's left taking her first step with right foot and then the following steps needed to complete the turn.

In the example 3, the man steps back with left foot and stops in place to focus turn center. The woman is on her right foot and begins to turn to the man's right taking her first step with left foot and then the following steps needed to complete the turn.

In example 4, the man steps back with right foot and stops in place to focus the turn center. The woman is on her left foot and begins to turn to the man's left taking her first step with right foot and then the following steps needed to complete the turn.

Diagram 29

L e c c i ó n   8

C a m b i o s   d e   D i r e c c i ó n

L e s s o n   8

C h a n g e s   o f   D i r e c t i o n

En esta lección veremos las posibilidades de cambiar de dirección de giro durante el mismo giro. Es decir que si la mujer está girando hacia la derecha del hombre, el hombre tiene también la posibilidad de cambiar de dirección, durante cualquiera de sus pasos.

Un concepto a tener en cuenta es que la mujer tiene siempre el peso del cuerpo en una sola pierna, nunca en las dos. Siempre tiene una pierna libre, que es la pierna que el hombre puede controlar. Y la mujer pasa siempre por la posición de tener sus piernas juntas antes de dar cada paso.

1- En este ejercicio, tomaremos cada uno de los pasos que hace la mujer en un giro hacia la derecha del hombre, y repetiremos cada uno de esos pasos.

In this lesson we will look at the possibilities there are to change direction during the same turn. In other words, if the woman is turning to the man's right, the man can change the direction of the turn during any of the steps.

Remember that the woman will always have her weight on one foot only, never on both feet. This means that she will always have one foot free, which corresponds to the foot and leg which man is able to control when dancing with her. Remember also that she must always pass through the "joined legs" position before taking each step.

1-In this exercise, we will look at each of the woman's steps taken when she turns to the man's right, we will repeat each one of these steps. The man and the woman stand facing each other. The man leads her weight onto the right foot, so that she has the left foot free. Then, the man

El hombre y la mujer están enfrentados. El hombre le pasa el peso a la mujer a la pierna derecha, para que la pierna izquierda este libre de peso. Luego el hombre rota su torso hacia la derecha para indicar el primer paso, y ni bien la mujer hace el primer paso con izquierda, el hombre invierte la rotación de su torso para que la mujer vuelva a la pierna derecha en la cual tenía el peso. Esto se puede ver en la figura uno. De la figura 1 a la 6, son sólo los pasos de un giro hacia la derecha, seccionados en paso por paso. Este ir y volver de cada paso debe ser practicado improvisadamente. Es decir que el hombre tiene el control de cuando van a pasar hacia el paso siguiente.

Por ejemplo, el hombre puede marcar el paso 1, unas 4 o 5 veces, y en vez de cambiar la dirección de la rotación de su torso para que se produzca un ir y venir, puede seguir rotando un poco más su torso hacia la derecha, para continuar con el paso 2.

El hombre debe llevar a la mujer a que pase el peso de su cuerpo completamente de una pierna a la otra. Y la mujer debe juntar las piernas cada vez que pasa su peso, pero aunque tenga las piernas juntas, siempre tiene el peso en una sola. Gráfico 30 y 31

2- Este ejercicio es el mismo que el anterior, pero la mujer gira hacia la izquierda del hombre, teniendo en cuenta lo anteriormente explicado. Al principio es importante detenerse e ir y volver en cada uno de los pasos del giro. Una vez que logramos que la pareja se sienta cómoda, recién ahí debemos improvisar libremente.

rotates his torso to the right to lead the first step, as soon as the woman takes the first step with the left foot, the man reverses the torso rotation to lead the woman back onto the right foot. (See figure one).

In figures one to six, only the steps of a turn to the right are shown, divided into sections step by step. This forward and backward pattern of each step must be practiced as if it were an improvisation. In other words the man controls when the couple is going to pass on to the next step.

For instance, the man can lead step 1 four or five times and instead of changing the direction of his torso rotation to lead the forward and backward pattern of steps, can go on rotating his torso a little further to the right to continue with step 2.

The man should lead the woman to transfer her weight from one foot to the other completely. The woman must join her feet each time she transfers her weight, but although she has her feet together, her weight is always on one foot.
Diagrams 30 and 31.

2-This exercise is the same as the previous one except that the woman turns to the man's left, bearing in mind what we have already explained. At the very beginning the couple should stop and go forwards and backwards on each step of the turn. Once the couple feels at ease with the exercise they may improvise freely.

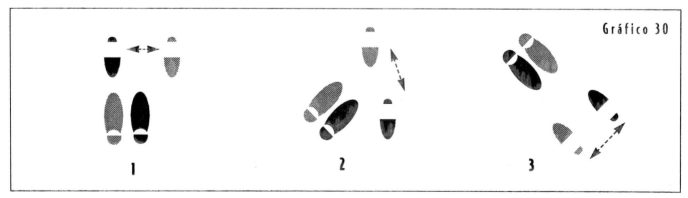

Gráfico 30

1   2   3

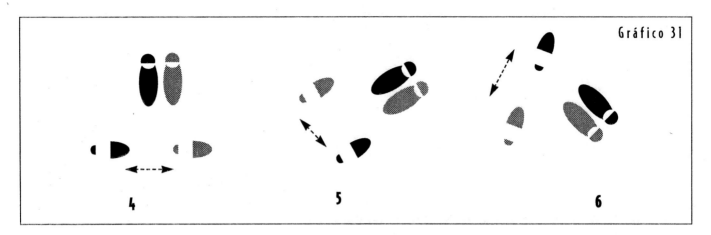

4   5   6

3- El hombre puede cambiar la dirección del giro en cualquiera de sus pasos. Por ejemplo el hombre puede marcarle a la mujer con la rotación del torso tres o cuatro pasos, y quedarse yendo y viniendo en uno de esos pasos, y cambiar la dirección del giro. En este ejercicio debemos incrementar al máximo las combinaciones posibles, para que la mujer realmente no sepa cuál es el paso que va a venir.

Para sistematizar el aprendizaje, y que no nos olvidemos de ninguna posibilidad, debemos cambiar de dirección por lo menos una vez en cualquiera de los seis pasos del giro.

3-The man can change the direction of the turn with any of his steps. For example: the man can lead the woman three or four steps with his torso rotating, continue the forward-backward pattern with one of these steps and change the turn direction. In this exercise the man should change the combinations as much as possible to really avoid the woman knowing before-hand which step is going to come next.

To be systematic the couple should work through all the possibilities and should change direction at least once on any of the six turn steps.

Lección 9

Sistema de Piernas Cruzado

En esta lección aprenderemos a cambiar la relación de piernas que veníamos usando hasta este momento. Hasta ahora, cuando el hombre pisaba con derecha la mujer lo hacía con izquierda y cuando el hombre pisaba con izquierda la mujer lo hacía con derecha. Esta relación de piernas la llamamos sistema de piernas paralelo.

Ahora comenzaremos a usar una relación de piernas de derecha del

Lesson 9

The Cross Legs System

In this lesson we will learn to change the leg relationship we've been using so far. Until now when the man stepped on his right foot, the woman would step on her left and when the man stepped on his left, the woman stepped on her right. This leg relationship is called the Parallel leg system.

Now we will begin using a legs relationship where the man's right leg

hombre con derecha de la mujer, e izquierda del hombre con izquierda de la mujer. Esta nueva relación de piernas la llamamos sistema de piernas cruzado. El primer ejercicio es una caminata del hombre hacia adelante y la mujer hacia atrás con un sistema de piernas cruzado, es decir derecha del hombre con derecha de la mujer, e izquierda del hombre con izquierda de la mujer.

1- El hombre pasa el peso de la mujer a la pierna izquierda y pasa su propio peso a la pierna izquierda. De esta forma, el hombre tiene la pierna derecha libre de peso, y la mujer su pierna derecha libre de peso. En esta posición, comienza el hombre a caminar hacia adelante, llevando así a que la mujer camine hacia atrás. Es sólo una caminata , donde el hombre camina hacia adelante y la mujer hacia atrás. Al mismo tiempo que el hombre pisa con la derecha hacia adelante, la mujer lo hace con la derecha hacia atrás. Y cuando el hombre pisa con la izquierda hacia adelante, la mujer lo hace con la izquierda hacia atrás, intentando no forzar o empujar a la mujer para que ésta camine. Hay que encontrar un punto suave de tensión muscular que nos permita una comunicación relajada. Debemos lograr que la mujer camine hacia atrás en línea recta, y el hombre va a ser el que se irá acomodando en las posiciones de los pies. El hombre para mantener esta relación de piernas, tendrá que caminar en zigzag como esta indicado en el gráfico. Gráfico 32

2- En este caso el hombre y la mujer no están con los pies perfectamente de frente, sino que el hombre tiene su pie derecho casi en el centro de los pies de la mujer. El hombre tiene su peso en el pie de-

moves with the woman's right leg and the man's left leg with the woman's left. This new legs relationship is called the Cross legs system.

The first exercise consists of the man walking forwards and the woman backwards using the Cross legs system, so the man's right foot steps with woman's right and man's left foot steps with the woman's left.

1-The man leads the woman's weight onto the left foot and transfers his own weight onto the left foot.
This way both the man and the woman have their right feet free. In this position the man starts walking forwards, leading the woman to walk backwards, he steps forward with the right foot and the woman back with the right foot.
When the man steps forward with his left, the woman steps back with her left. He must try not to force or push the woman to walk but should try to find the soft, flexible degree of muscle tone that allows the body to communicate calmly.

The woman should be walking backwards as if she were walking on a straight line, the man finding the room and the position for the steps. To keep this leg relationship the man will have to walk in a zigzag as shown in the diagram.
Diagram 32

2-In this case the couple are not walking with their feet directly forward; the man starts with his right foot almost between the woman's two feet, he has his weight on the right foot and he leads the woman's weight to her

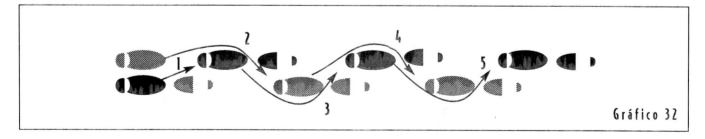

Gráfico 32

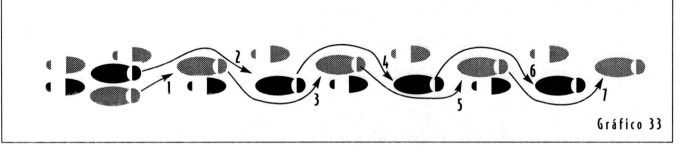

recho, y le pasa el peso a la mujer a la pierna derecha. Ahora el hombre tiene su pierna izquierda libre de peso al igual que la mujer.

El primer paso del hombre es con la pierna izquierda y hacia atrás pero no en línea recta sino con cierta curva, para ubicar el pie izquierdo atrás y hacia afuera del derecho como indica el gráfico.

El paso numero 2 es con la pierna derecha del hombre hacia atrás, y dibujando una curva como lo indica la flecha. Los pasos subsiguientes tienen el mismo mecanismo que los dos primeros, lo más importante es mantener a la mujer caminando en una línea recta, y es el hombre el que modifica su caminar para que la relación de piernas de derecha con derecha e izquierda con izquierda sea posible. Gráfico 33

right foot also. Now both he and his partner have their left foot free.
The man's first step is with his left foot backwards, not on a straight line but making a slight curve in order to place the left foot backwards and outside of the right as it is shown in the diagram.

Step number 2 is with the right leg backwards, also making a curve as indicated by the arrow in diagram 33. The ensuing steps have the same pattern as the first two - the woman must continue walking in a straight line and the man should adapt his walk to facilitate the legs relationship: his right with her right and his left with her left.
Graphic 33

L e c c i ó n   1 0

T r a s l a d o s

En esta lección veremos las posibilidades de traslado que existen utilizando un sistema de piernas cruzado, es decir que cuando el hombre pisa con la pierna izquierda, la mujer también pisa con la izquierda, y cuando el hombre pisa con la derecha lo mismo hace la mujer.

1- Este ejercicio tiene el mismo funcionamiento que los ejercicios anteriores con respecto a la marca del hombre y al seguir de la mujer. Aquí sólo explicaremos cuáles son las posibilidades que tiene la pa-

L e s s o n   1 0

T h e   L i n e   o f   M o v e m e n t

In this lesson we will look at possible variations in the line of movement when using the Cross legs system described above.

1-This exercise has the same function as the previous one regarding the way the man leads and the woman follows. We will only explain which possibilities the couple has and how the man will to take responsibility for the directions in which they move and for choosing which foot they will step with.

reja, y el hombre es el que empezará a tener la responsabilidad de qué dirección van a tomar, y con qué pierna irán a hacer el paso.

La idea es que si partimos de la posición inicial, que está indicada en la figura 1y 5 del gráfico 34 y 35, el hombre puede pasarle el peso a la mujer a la pierna izquierda o derecha. Si el hombre le pasa el peso a la mujer a la pierna izquierda, la pierna derecha de la mujer será la que hará el paso, y si el hombre le pasa el peso a la derecha, será la pierna izquierda la que hará el paso. Teniendo en cuenta lo dicho anteriormente, el hombre tendrá la posibilidad de hacer que la mujer pueda pisar adelante, al costado o hacia atrás con la pierna que esté libre de peso. Gráfico 34

En la figura 1 vemos la posición inicial en la cual el hombre pasa su peso a la pierna izquierda, y le pasa el peso a la mujer a la pierna izquierda.

Para hacer la figura 2, el hombre primero deberá pasarle el peso a la mujer a la pierna izquierda y él pasar el peso a su pierna izquierda, como en la figura 1. Luego el hombre hará un paso hacia adelante, provocando que la mujer dé un paso hacia atrás. La forma que tiene el hombre de indicar que hará un paso hacia adelante es por medio

The idea is that if we start from the initial position as shown in figures 1 and 5 of diagrams 34 and 35, the man can lead his partner's weight onto the left or right foot. If he leads her onto the right foot, the left foot will take the step.

Bearing in mind the above instructions, the man can lead his partner to step forwards, to the side or backwards onto the free foot.

Diagram 34.

In figure 1 we see the initial position where the man transfers his weight to the left foot and also leads the woman to transfer her weight to her left foot.

To achieve figure 2, the man has to lead the woman onto her left foot and transfer his weight to his left foot as in figure 1. Then he takes a step forward, leading the woman take a step backward. He has to demonstrate this through the torso. This means that the movement starts from the man's torso moving through his body to the legs and feet as in normal walking.

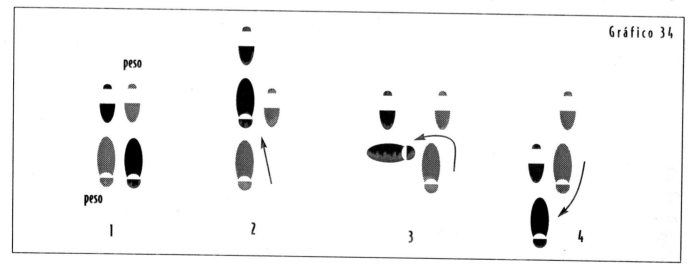

Gráfico 34

peso

peso

1   2   3   4

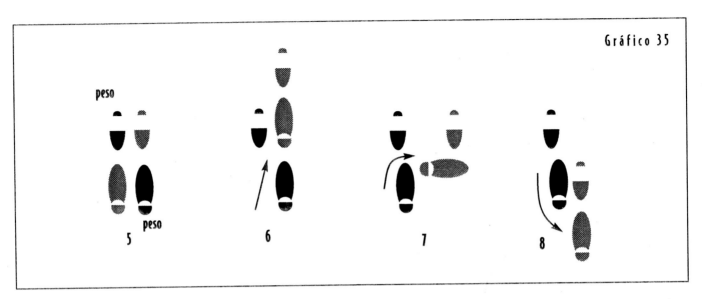

Gráfico 35

peso

peso

5   6   7   8

---

de su torso. Es decir que el movimiento del paso hacia adelante se inicia en el torso del hombre y luego en las piernas como en el caminar normal. En la figura 3, el hombre primero deberá pasar el peso como en la figura 1 y luego se desplazará hacia la izquierda conteniendo en sus brazos a la mujer, llevándola él a hacer un paso hacia la izquierda del hombre. Para que el hombre pueda pasar su pie derecho por delante del izquierdo, primero deberá rotar antes de dar el paso. En la figura 4, el peso sigue siendo como en la figura 1, pero el hombre da un paso hacia atrás, conteniendo a la mujer en sus brazos, llevándola a hacer un paso hacia adelante.

Luego de cada uno de estos pasos, la pareja deberá volver siempre a la posición inicial, como en la figura 1. Gráfico 35

En la figura 5, vemos que el hombre llevó a la mujer a tener el peso en la pierna derecha, y él también tiene el peso en su derecha; esta posición será la base para los próximos tres pasos.

En la figura 6, la mujer tiene el peso en la derecha y el hombre en la derecha, luego el hombre inicia el movimiento con su torso hacia adelante y da un paso hacia adelante con la izquierda, haciendo que la mujer retroceda con izquierda.

In figure 3 the man first has to shift both his weight and his partner's, as in the figure 1; then he has to move to the left holding the woman in his arms, leading her to take a step to his left. In order to step with his right foot across and in front of the left he will have to pivot on his left foot before taking the step.

In figure 4 the weight remains as figure 1, but the man takes a step backwards, holding the woman in his arms and leading her to take a step forwards.

After taking each of these steps the couple should always return to the initial position as in figure 1.

Diagram 35.

In figure 5 the man leads the woman onto her right foot, he also has his weight on his right; this will be the basic position for the following three steps.

In figure 6 the woman has her weight on her right foot and the man on his right. The man starts the movement with his torso forward and takes a step forward with the left foot, leading the woman back onto her left foot.

In figure 7 the man moves to the right taking the woman with him. To do

En la figura 7, el hombre se desplaza hacia la derecha llevando consigo a la mujer, hacia la derecha. Antes el hombre deberá rotar sus caderas para que esto le permita pasar su pierna izquierda por delante de la derecha.

En la figura 8 el hombre da un paso hacia atrás, trayendo a la mujer que da un paso hacia adelante.

2- Tomando en cuenta las posibilidades que tenemos, el hombre deberá alternar en cualquier orden los pasos anteriores. Es importante que la mujer se relaje y se deje llevar. El propósito de este ejercicio es que el hombre decida qué paso van a hacer, sin que la mujer lo sepa de antemano. Esto es el primer paso para la improvisación, donde el hombre está decidiendo en el momento que paso van a hacer, y la mujer está comprendiendo en el momento hacia dónde debe ir.

3- El hombre comenzará caminado hacia adelante, como en la lección 9, y deberá empezar a intercalar pasos hacia los costados por el medio de su caminata. En los siguientes ejemplos veremos algunas de las posibilidades de improvisación, pero teniendo en cuenta que son unos pocos ejemplos dentro de la gran variedad en la cual el estudiante de tango debe investigar. Siempre recordando que estamos en una relación de piernas de derecha con derecha e izquierda con izquierda. Gráfico 36

El hombre enfrentado a la mujer, tiene su peso en la pierna izquierda y le pasa el peso a la mujer a la pierna izquierda. El hombre da un paso hacia adelante con la pierna derecha y la mujer hacia atrás con la pierna derecha.

this he will have to rotate his hips and pivot a little on his right foot in order to step with his left foot across and in front of the right.

In figure 8 the man takes a step backwards, leading the woman to take a step forwards.

2-Bearing in mind all the possibilities mentioned, the man should alternate these steps in any order. The woman should be relaxed and should allow her self to be led. The purpose of the exercise is for the man to decide which steps they will take, without the woman knowing in advance.

This is the first step in improvisation - where the man is making up his mind, in the moment, which step they will take and the woman is understanding, in the moment, where to go.

3-The man will begin walking forward, as in lesson 9, and should begin to put in side steps as he progresses. In the following examples we'll look at some of the possibilities for improvisation, remembering that these are but a few examples among a great many that the tango student must discover and research for himself. Not forgetting also that in this instance the leg relationship is right with right and left with left.

Diagram 36.

The man is facing the woman and has his weight on his left foot. He leads his partner's weight onto her left leg. He takes a step forward with his right foot and the woman steps back with the right foot. In 2 he takes a step with the left as shown by the arrow.

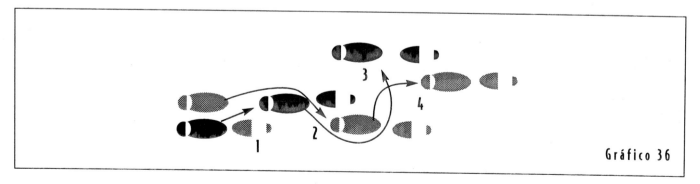

Gráfico 36

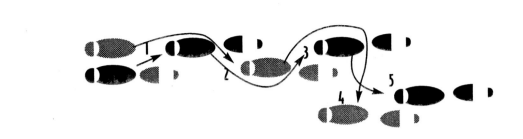

Gráfico 37

El paso 2 el hombre lo hace con la izquierda como está indicado con la flecha. El paso 3 es el que será lateral y en el cual el hombre deberá pasar su pierna derecha por el recorrido que indica la flecha. Este recorrido obligará al hombre a rotar en la pierna izquierda antes de dar el paso con pierna derecha hacia el costado. Luego pueden seguir caminando en una relación de piernas de derecha con derecha e izquierda con izquierda. Gráfico 37

En este ejemplo vemos que el hombre inicia su marcha con la mujer igual que en el ejemplo anterior. El paso que el hombre toma hacia el lado derecho, ahora el hombre lo hace con la pierna izquierda, y rotando sobre su derecha antes de dar el paso 4. Luego retoma la marcha en sistema cruzado como en los primeros pasos.

Step 3 will be a lateral step so the man will have to place his right foot along the line of movement shown by the arrow. This line of movement will force him to pivot on the left foot before taking his step with the right foot sideways and across. The couple continues walking, keeping the legs relationship right with right and left with left.
Diagram 37.

In this example the man continues his progress forward, leading the woman as in the previous example. Now the man performs step 4 to the right side - which means that he will take a step across and to the right side with the left foot, pivoting on his right foot before taking step 4 with the left. Then the couple continues their progress forward with the cross leg system as in the first steps.

L e c c i ó n   1 1

G i r o s   e n   C r u z a d o

En esta lección se explicará cómo hacer un giro en sistema cruzado, es decir que el hombre y la mujer hacen los mismos pasos y el centro del giro será el centro de la pareja.
Para comenzar, el hombre debe marcarle a la mujer que tenga el peso en la pierna derecha, y él debe poner el peso en su pierna derecha.

L e s s o n   1 1

C r o s s   S y s t e m   T u r n s

In this lesson we will explain how to perform a turn in a Cross legs system, where the man and the woman take the same steps as each other and that the center of the turn will be between the two dancers.
To start the man must lead the woman to have her weight on her right foot, and he will have his weight on his right foot also.

El hombre debe rotar su torso hacia la derecha para que la mujer dé su primer paso con la izquierda, al mismo tiempo el hombre debe pisar con la izquierda, como en el ejemplo 2. En los ejemplos se puede ver que las flechas sólidas indican el movimiento que se debe producir en ese momento, y las líneas punteadas indican el recorrido que se debe hacer para llegar al ejemplo siguiente.

En el ejemplo 2, luego de que el hombre pasa su peso a la pierna izquierda y la mujer también, las piernas derechas quedan libres, y deben tener un recorrido por adentro de la pareja. Esto nos lleva al ejemplo 3, que cuando los dos tienen sus pesos en las piernas dere-

He must rotate his torso to the right so that the woman can take her first step with the left foot, at the same time the man has to step on his left, as in example 2.

In the diagrams you can see that the solid arrows show the movement that is actually happening and the dotted lines show the path of movement leading to the next example.

In example 2, after the couple has shifted their weight onto their respective left feet, the right feet are free and must follow the line of movement across the inside space between the two dancers. This leads us to example 3: when the two dancers have their weight on their respective right feet,

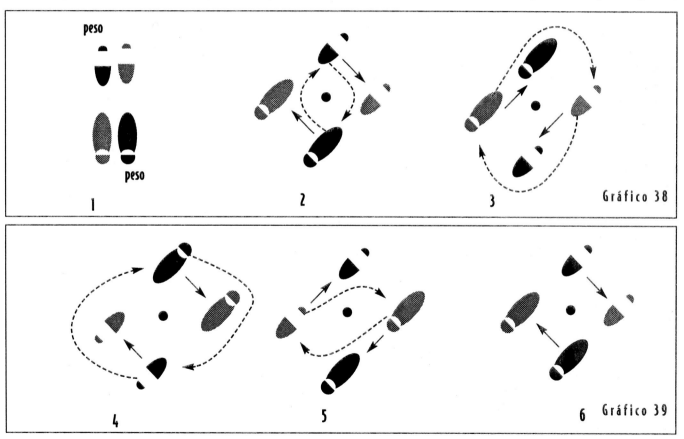

peso

peso

1   2   3   Gráfico 38

4   5   6   Gráfico 39

chas respectivamente, el recorrido de la pierna izquierda para llegar a la nueva posición es por afuera de la pareja.

En el ejemplo 4, los dos llegarán a tener el peso en las piernas izquierdas, y luego el recorrido de la pierna derecha será por afuera de la pareja. En el ejemplo 5, los dos tendrán el peso en las piernas derechas, y traerán sus izquierdas por dentro, hasta el ejemplo 6. Donde el ejemplo 6 es el mismo que el ejemplo 2, y el hombre tendrá la opción de juntar las piernas de la mujer y las suyas, o la de iniciar otro giro. Gráficos 38 y 39

1- Iniciar varios giros hacia la derecha hasta que el movimiento sea automático, y no deban pensar en cuál es el paso que sigue. El hombre siempre indicará con el torso para que la mujer gire. El hombre simultáneamente debe pensar en los pasos que él tiene que hacer, y en marcarle a la mujer qué es lo que ella tiene que hacer. Estos giros son hacia la derecha del hombre y sin importar el tiempo.

2- Hacer el mismo tipo de giro hacia la izquierda, varias veces. También los giros deben repetirse con continuidad hasta que la pareja se sienta cómoda y sin que tenga que pensar en los pasos detalladamente. El obtener una continua fluidez en los pasos de la mujer es muy importante. Gráficos 40 y 41

the left foot follows the line of movement outside the couple to arrive at the new position.

In example 4, both will have their weight on their left feet, and the path of the right foot will also be outside the two dancers.

In example 5, the two will have their weight on their right feet and will bring their left feet across the inside space to arrive at example 6. Example 6 is the same as example 2, here man has the option to either lead the woman to join her feet or to start another turn.

Diagrams 38 and 39.

1-The couple should practice turns to the right until the movement comes naturally and they no longer need to think which step is to follow. The man always leads the woman's turn with his torso. As well as leading his partner he has, simultaneously, to think of and anticipate the steps he is going to take. These turns should be practiced without worrying about the timing.

2-The couple should then practice the same turn to the left as many times, repeating the turn continually until they feel comfortable and don't have to think about the steps in detail. It's very important for the woman to achieve a sustained fluidity in her steps.

Diagrams 40 and 41.

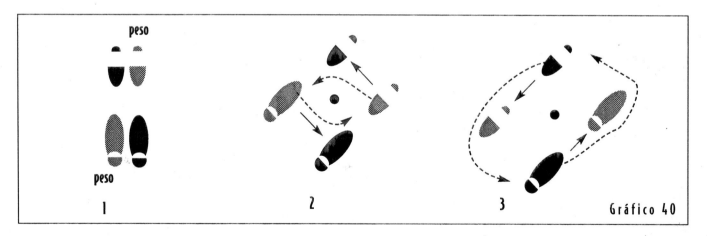

peso

peso

1

2

3

Gráfico 40

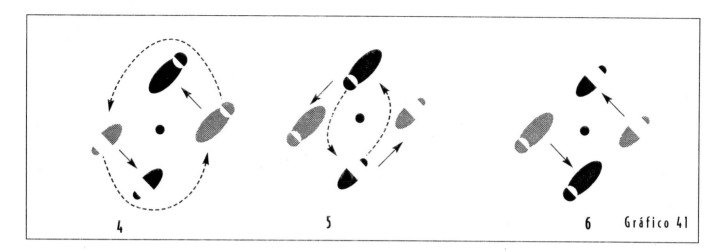

4   **5**   **6**   Gráfico 41

3- Tomar cada paso del giro separadamente, y hacer un vaivén. Aquí debemos recordar que la marca del hombre debe ser suave, y que en ningún momento el hombre debe usar excesiva fuerza para detener a la mujer en su ir y venir. El hombre le marca a la mujer con la rotación de su torso, para que ésta vaya y venga en cada uno de las pasos del giro. Si tomamos, por ejemplo, que la mujer esta dando un paso hacia la derecha del hombre, y el hombre quiere que la mujer vuelva sobre el mismo paso, éste debe cambiar la rotación de su torso hacia la izquierda, para que la mujer vuelva sobre el mismo paso. Podríamos decir que el primer paso corresponde a un giro hacia la derecha del hombre, y el segundo a un giro hacia la izquierda. O sea, que sería un cambio de dirección de giro. Todas estas opciones se verán más detalladamente en la parte teórica de este libro.

4- Cambiar la dirección del giro en cualquiera de sus pasos, improvisadamente. Recordar que el hombre indica con su torso a la mujer todos estos tipos de cambios. Podemos por ejemplo hacer uno o dos giros hacia la derecha del hombre, y luego cambiar a uno o dos giros hacia la izquierda. Una vez que comprendimos los cambios de dirección, debemos cambiar constantemente en cualquier paso del giro, inclusive sin llegar a completar uno. Ya que debemos recordar que estamos practicando el cambiar de dirección y no el giro en sí mismo.

3-Take each step of the turn separately and practice it to-and-fro or forwards and backwards, remembering that the man's lead is very delicate and that under no circumstances should he use excessive force to stop the woman in her to-and-fro movement.
Remember that he still leads the to-and-fro movement of his partner with the rotation of his torso. For example if the woman is taking a step to the man's right and the man wants the woman to repeat the same step again; he has to change the rotation of his torso to the left to lead her back over the same step. We could say that the first step belongs to a turn to the man's right and the second to a turn to his left, so that it becomes a change of turn direction. All these options will be explained in detail in the theory part of this book.

4-The couple should change the direction of the turn on any of these steps as though it were an improvisation, remembering always that the man leads all the direction changes with his torso. The dancers may make one or two turns to the man's right, and then change to one or two turns to his left. Once the couple has understood how to change direction they should change constantly on any step of the turn, even before completing a step, as they are practicing the change of direction and not the turn itself.

Lección 12

Improvisación

Ahora sumaremos las formas de girar, al caminar hacia adelante o hacia atrás. El hombre y la mujer, en este caso, están caminando en una relación de piernas de derecha con derecha e izquierda con izquierda. Y con este tipo de relación iniciarán giros hacia la derecha del hombre o hacia la izquierda, para luego seguir caminando en un sistema de piernas cruzado. A continuación veremos varios ejemplos de este tipo de combinaciones. Debe tomarse en cuenta que estos son sólo algunos dentro de la gran cantidad de combinaciones que se pueden hacer. El estudiante debe combinar los diferentes elementos y crear sus propias combinaciones. Gráficos 42 y 43

Lesson 12

Improvisation

Now we're going to sum up the different ways of doing turns and the forward and backward walk. In this case, the man and the woman are walking with a right with right and left with left legs relationship. They will perform turns with this relationship to the man's right or left and continue walking with the Cross legs system. In the following sections we will look at various examples of this kind of combination, always remembering that these are but a few among a great many combinations that can be made. The student has to put together the different elements and create his own combinations.
Diagrams 42 and 43.

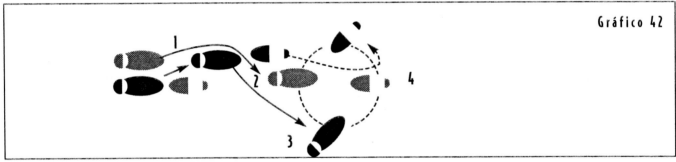

Gráfico 42

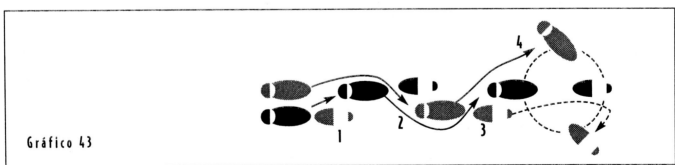

Gráfico 43

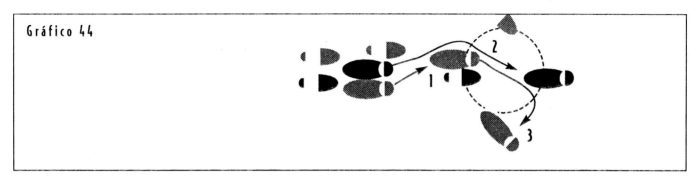

Gráfico 44

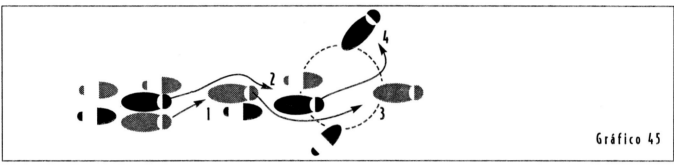

Gráfico 45

1- En el gráfico 42 vemos que el hombre comienza caminado hacia adelante y la mujer hacia atrás en un sistema de piernas cruzado.

Antes de dar el paso 2, el hombre debe pensar que o él hace un paso más corto que lo normal, o le marca a la mujer que ella retroceda un poco más, obteniendo así una separación de la pisada izquierda del hombre con la pisada izquierda de la mujer. Seguidamente, el hombre le marca a la mujer con la rotación del torso hacia la izquierda, para que ella dé un paso lateral. El hombre da un paso lateral, acompañando el paso de la mujer, y así inicia un giro hacia la izquierda. Esta posición que vemos, donde se forma un círculo, es la misma que la posición del gráfico 40 paso 2. Desde aquí la pareja puede seguir girando hacia la izquierda del hombre y retomar el caminar cuando llegan a esta misma posición. O el hombre puede salir en cualquiera de los pasos del giro, sin necesidad de tener que completarlo.

2- En el gráfico 43 podemos ver al hombre caminando hacia adelan-

1-In diagram 42 the man begins walking forwards and the woman backward in the Cross legs system.

Before taking step 2 the man needs to assess whether he has to take a shorter step than the normal or if he needs to lead the woman back a little further, to assure enough distance between his left foot with the woman's left foot. He then leads the woman (with his torso rotation) to the left so that she takes a lateral step. The man takes a lateral step accompanying the woman and in this way he initiates a turn to the left. From this position we can see how a circle is formed, it is the same as seen in graphic 40 step 2. From this point the couple can continue turning to the man's left and walking, Cross legs system, when they arrive at this position again. The man can also choose to leave any of the turn steps without completing them.

2- In diagram 43, we see the man walking forwards and the woman back-

te y la mujer hacia atrás en un sistema de piernas cruzado. Antes de dar el paso 3, el hombre debe lograr una distancia que le permita comenzar a girar, en este caso para el lado derecho del hombre.

A continuación veremos ejemplos donde el hombre camina hacia atrás y la mujer hacia adelante para luego entrar en un giro en sistema de piernas cruzado, es decir derecha del hombre con derecha de la mujer e izquierda del hombre con izquierda de la mujer.

3- En el gráfico 44 vemos que el hombre inicia una caminata hacia atrás en sistema cruzado. El paso 2, el hombre lo hace más largo que la mujer, logrando así una distancia que le permite iniciar un giro hacia su derecha con la pierna izquierda que junta antes de tomar la posición 3.

4- En el gráfico 45, vemos también que el hombre camina hacia atrás y la mujer hacia adelante, pero esta vez el hombre iniciará un giro hacia la izquierda, tomando en cuenta los mismos procedimientos que en el ejemplo anterior, pero con distinta pierna. Gráficos 44 y 45

wards in the Cross legs system. Before taking step 3, the man must achieve a distance that allows him begin the turn to his right side, in this case.

Continuing, we will see examples where the man walks backwards and the woman forwards to enter a turn in the Cross legs system, which means the man's right with the woman's right and the man's left one with the woman's left.

3- In diagram 29 the man begins walking backwards in the Cross Legs system. At step 2 he takes a longer step than the woman, making the distance that will allow him to lead a turn to the right with the left foot joining before taking step 3.

4- In diagram 44 also the man walks backwards and the woman forwards, but this time the man leads a turn to the left, with the same steps as the previous example but with the other foot.
Diagrams 44 and 45.

TEORÍA
THEORY

Nos referiremos en esta sección a la relación que existe entre las pisadas de la mujer y el lugar en donde el hombre está ubicado. En primer lugar, analizaremos la estructura más sencilla del movimiento en el tango: cuando uno de los dos bailarines permanece en su lugar mientras el otro hace un solo paso.

Para catalogar los pasos que, en estos ejemplos, puede realizar la mujer, necesitamos saber en qué dirección se desplaza respecto del hombre. Para ello, contará con tres posibilidades. (En este momento, el hombre sólo nos sirve como punto de referencia.)

La descripción de los pasos se organiza en función de tres pasos y dos direcciones, las únicas opciones que tenemos al movernos en pareja. Los tres pasos son: Apertura, Cruce atrás y Cruce adelante. Estos tres pasos, pueden tener dos direcciones, hacia la izquierda o hacia a la derecha. A continuación, analizaremos en detalle los tres pasos, y sus dos direcciones en detalle.

In this section we discuss the relationship between the woman's steps and the man's position. In the first place, we will analyze the simpler structure of movement in tango: where one of the two dancers stays in his or her place while the other takes a step.

In order to list the steps that the woman can take in these examples, we need to know the direction she moves in, in relation to the man. She will have three possibilities.
(At the moment, the man is only a point of reference for us).

The description of these possibilities is organized into three steps and two directions, the only possibilities we have to move in as a couple. The three steps are:- Open Step, Back Cross and Front Cross. These three steps can have two directions, to the left or to the right.
We will analyze in detail and one by one the three steps and the two directions.

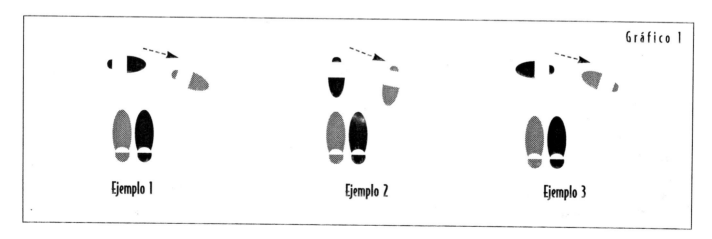

Gráfico 1

Ejemplo 1   Ejemplo 2   Ejemplo 3

Apertura

Decimos que la mujer realiza una Apertura cuando da un paso sin cruzar las piernas. Gráfico 1

Apertura hacia la derecha del hombre

Ejemplo 1

El hombre está parado en sus dos pies. La mujer está parada frente a él, de la misma forma. Luego ella rota y hace un paso con su pierna izquierda, como está indicado en las huellas del gráfico. La dirección de este paso es hacia la derecha del hombre. Nótese que, para que la mujer pueda pisar como está indicado en las huellas, deberá tener el frente de sus caderas mirando hacia donde está apuntando la flecha de dirección.

Ejemplo 2

La diferencia con el ejemplo anterior es que el frente de las caderas de la mujer está apuntando hacia donde está el hombre, aunque el traslado sigue siendo hacia la derecha del hombre. Nótese que la mujer ni siquiera necesita rotar antes de dar su paso.

Ejemplo 3

En esta tercera Apertura de la mujer hacia la derecha del hombre, el frente de las caderas de la mujer está mirando hacia la izquierda del hombre, mientras se traslada hacia la derecha del mismo. Obsérvese que las piernas de la mujer no se cruzan en ningún momento con respecto al hombre.

Ahora veremos ejemplos donde el hombre también se está desplazando. Estos ejemplos muestran claramente que la dirección que la mujer toma con respecto al hombre es independiente de la dirección con la que la pareja se está trasladando en el espacio. Gráfico 2

Ejemplo 4

Aquí vemos cómo la mujer se orienta hacia la derecha del hombre. Esto se ve más claramente si el hombre, enfrentado a la mujer, se queda en su lugar mientras la mujer hace su paso. Vemos cómo se desplaza la mu-

Open Step

The woman takes an Open step when she steps without crossing her legs. Diagram 1.

Open step to the man's right

Example 1:

The man is standing on both feet. The woman is standing on both feet in front of him. Then, she pivots on her right foot and takes a step with her left foot, as shown by the footprint in the diagram. The direction of this step is to the man's right. Note that for the woman to be able to step as shown by the diagram' footprints, she must have the front of her hips facing in the direction indicated by the arrows.

Example 2

The difference between this and the previous example is that the woman's hips are pointing towards where the man is, in spite of the fact that the line of movement is to the man's right. The woman need not pivot before taking her step.

Example 3

Here, as the woman takes an Open step to the man's right, the front of her hips is pointing to the man's left, while she shifts to his right. The woman's legs under no circumstances cross in relation to the man.

Now we will look at examples of where the man moves to. These examples clearly show that the direction the woman takes in relation to the man is independent of the where the couple moves in space. Diagram 2.

Example 4

Here we see how the woman positions herself to the man's right. This can be clearly demonstrated if the man faces the woman and remains in place while she takes her step. In this way one can see how the woman shifts to

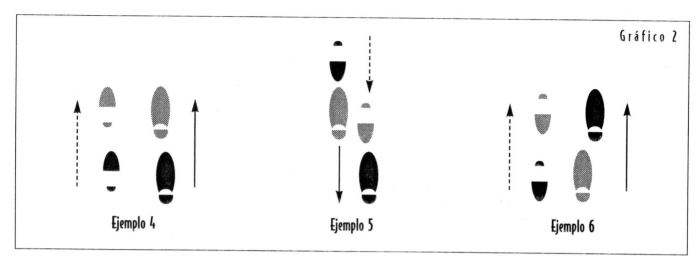

Ejemplo 4   Ejemplo 5   Ejemplo 6

jer hacia la derecha del hombre. Si el hombre se trasladara en una dirección contraria a la que lleva ahora, el paso de la mujer seguiría siendo una Apertura hacia la derecha.

Ejemplo 5

En este ejemplo se puede observar claramente que los pasos no guardan relación con la dirección de las caderas, o con los traslados: la mujer hace una Apertura hacia la derecha del hombre. Como en el ejemplo anterior, si el hombre se queda en un punto fijo en el medio de su traslado, veremos con más claridad que la mujer se traslada hacia la derecha del hombre.

Ejemplo 6

Este ejemplo es similar al número cuatro. La diferencia está en la dirección que tienen las caderas de la mujer mientras ejecuta el paso. Aquí, la dirección de las caderas de la mujer está dictada por las huellas. Si el hombre hiciera su paso en una dirección contraria, el paso de la mujer seguiría siendo una Apertura hacia la derecha.

Es importante tener en cuenta que las Aperturas de la mujer hacia la derecha deben siempre realizarse con su pierna izquierda. Y, viceversa, las Aperturas hacia la izquierda, con su pierna derecha . Esta regla es siempre igual, sin excepciones.

the man's right. If the man shifts in the opposite direction, the woman's step will continue to be an Open step to the right.

Example 5

In this example we can see clearly that the steps don't relate to the direction of the hips or the line of movement:- the woman takes an Open step to the man's right; as in the previous example, if the man remains at a fixed point in the middle of his line of movement, we can see clearly that the woman moves to his right.

Example 6

This example is similar to number four. The difference is in the direction of the woman's hips while she takes her step. Here, the footprints dictate the direction of the woman's hips. If the man made his step in the opposite direction, the woman's step would go on being an Open step to the right.

Notice that the woman's Open steps to the right will always be made with her left foot, and vice versa - the Open step to the left with the right foot. This rule is always the same, without exceptions.

Para ver ejemplos de Aperturas de la mujer hacia la izquierda, sólo debemos invertir la dirección de su traslado. Para ello, hay que tener en cuenta que la mujer tendrá el peso sobre su pierna izquierda y avanzará con la derecha.

C r u c e   a t r á s

En este paso, una de las piernas está cruzando por detrás de la otra, con respecto al lugar donde está ubicado el hombre. Los cruces atrás pueden orientarse hacia la derecha o hacia la izquierda. Pero, a diferencia de las Aperturas, en los cruces atrás las caderas de la mujer se mantienen siempre apuntando hacia el lado opuesto de su traslado. Los cruces atrás hacia la derecha (del hombre) se realizan siempre con la pierna derecha de la mujer, y los cruces atrás hacia la izquierda, la mujer los realiza con su pierna izquierda. Gráfico 3.

Ejemplo 7

Comienza el hombre enfrentado a la mujer, con el peso del cuerpo por igual en los dos pies. Luego la mujer rota y hace un paso taras con su pierna derecha (que pasa por detrás de la pierna izquierda, si lo vemos desde donde está parado el hombre). La flecha de dirección de la mujer está del lado externo a la pareja porque debe pasar por detrás de su pierna izquierda. Igualmente, si se respetan las huellas del gráfico, es imposible pisar de otra forma que no sea un Cruce atrás hacia la derecha.

To see examples of woman's Open steps to the left, we only have to reverse the direction of the line of movement. Notice that the woman will have her weight on her left foot and will step forward with her right foot.

B a c k   C r o s s

In this step, one leg crosses behind the other, in relation to the man's position. Back cross steps can be oriented either to the right or to the left, but unlike the Open steps, in back crosses the woman's hips always point to the opposite side of her line of movement. Back crosses to the (man's) right are always made with the woman's right leg and back crosses to the (man's) left are made with her left leg.

Diagram 3

Example 7

The man begins facing the woman with his weight evenly distributed on both feet. The woman pivots on her left foot and takes a step backward with her right foot (seen from the man's point of view her right leg passes behind her left leg). The woman's direction arrow is to the couple's outside because it has to pass behind the left leg. If the diagram' footprints are respected it is impossible to step any other way than a Back cross step to the right.

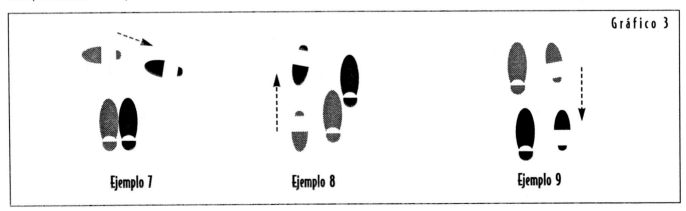

Gráfico 3

Ejemplo 7   Ejemplo 8   Ejemplo 9

Ejemplo 8

Este paso también es un Cruce atrás hacia la derecha del hombre. En este caso, el hombre se está desplazando con un pequeño traslado. La mujer pasa su pierna derecha por detrás de su pierna izquierda. La dirección en la que se traslada el hombre no está indicada, ya que es indistinta para la definición de Cruce atrás hacia la derecha del hombre. Es decir que el hombre puede estar parado en su pierna derecha y caminar con la izquierda, o viceversa.

Ejemplo 9

En este ejemplo la dirección del hombre no está especificada, ya que es indistinto en que dirección se está trasladando. La mujer da el paso con su pierna derecha, la cual se traslada por detrás de su pierna izquierda. El hombre también podría quedarse en un solo lugar y rotar su torso, con lo cual llevaría a que la mujer realizara estos cruces atrás hacia la derecha.

A continuación analizaremos tres ejemplos que mantienen la misma estructura de pasos que los ejemplos anteriores. Sólo cambiaremos la dirección en el traslado de la mujer. Gráfico 4.

Ejemplo 10

Comienza el hombre enfrentado a la mujer, con el peso del cuerpo en los dos pies. Luego la mujer rota y hace un paso con su pierna iz-

Example 8

This is a Back cross step to the man's right. In this case the man is progressing along a short line of movement. The woman passes her right leg behind her left. The direction of the man's line of movement is not shown, as it is no different from the definition of the Back cross step to the man's right. In other words the man may be standing on his right foot and walking with the left or vice versa.

Example 9

In this example the man's direction is not shown either, because the direction he is moving in is not important.
The woman takes a step with her right foot, crossing behind her left. The man may also stay in place and rotate his torso, leading the woman to take the Back crosses to the right.

We'll analyze three examples, one by one, that keep the same step structure as the previous examples. We will only change the direction of the woman's line of movement. Diagram 4.

Example 10

The man begins facing the woman with weight of his body on both feet. The woman pivots on her right foot and takes a step with her left foot,

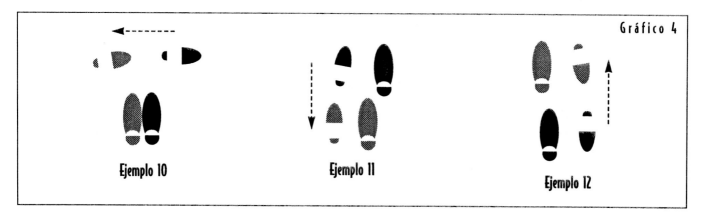

Gráfico 4

Ejemplo 10   Ejemplo 11   Ejemplo 12

quierda, que pasa por detrás de la pierna derecha (si lo observamos desde la ubicación del hombre). La flecha de dirección de la mujer está del lado externo a la pareja, porque debe pasar por detrás de su pierna derecha. Igualmente si se respetan las huellas del gráfico: es imposible pisar de otra forma que no sea un Cruce atrás hacia la izquierda.

Ejemplo 11

Este paso también es un Cruce atrás hacia la izquierda del hombre. En este caso, el hombre está realizando un pequeño traslado. La mujer pasa su pierna izquierda por detrás de la derecha. La dirección en la cual se traslada el hombre es indistinta. Es decir, el hombre puede estar parado (tener el peso) en su pierna derecha y caminar con la izquierda o viceversa.

Ejemplo 12

En este ejemplo la dirección del hombre tampoco se especifica ya que es indistinta la dirección del trasladando. La mujer da un paso con su pierna izquierda, por detrás de su pierna derecha. También, el hombre podría quedarse en un solo lugar, rotando su torso. Así, llevaría a la mujer a hacer cruces atrás hacia la izquierda.

Los cruces atrás son simples de reconocer y de diferenciar de las Aperturas, ya que los cruces atrás hacia la izquierda son hechos con la pierna izquierda, y los cruces atrás hacia la derecha, con la pierna derecha. Mientras que en las Aperturas esta relación de piernas se invierte.

Cruce Adelante

Se llama así porque una de las piernas cruza por delante de la otra, siempre en relación al lugar donde está ubicado el hombre. Los cruces adelante, pueden ser hacia la derecha o hacia la izquierda y, a diferencia de las Aperturas, en este paso las caderas de la mujer se mantienen siempre apuntando al mismo lado hacia donde se trasladará. Hay que recordar que los cruces adelante hacia la derecha se realizan siempre con la pierna derecha de la mujer, y los cruces adelante hacia la izquierda, la mujer los hace con su pierna izquierda. Gráfico 5.

---

passing her left leg behind the right (seen from the man's position). The woman's direction arrow is to the couple's outside because her left leg passes behind her right. If the diagram' footprints are respected it is impossible to step in any other way than a Back cross to the left.

Example 11

This step is also a Back cross to the man's left. In this case, the man is moving along a short line of movement. The woman passes her left leg behind her right. The direction of the man's line of movement is unimportant. In other words he can have his weight on his right foot and step with the left or vice versa.

Example 12

In this example the man's direction is not specified either as the line of movement is unimportant in this instance. The woman takes a step with her left foot passing behind her right. The man may also remain in one place, simply rotating his torso. In this way he will lead the woman to take a back crosse to the left.

Back crosses can be easily recognized and distinguished from Open steps, as Back crosses to the left are made with the left leg, and the Back crosses to the right with the right leg, while this leg relationship is reversed on the Open steps.

Front Cross

This step is named thus because, as with Back crosses, one leg crosses in front of the other. It is always related to the man's location. Front crosses can be to the right or to the left and, unlike Open Steps, in the front cross the woman's hips always point to side she will move to. Remember that front crosses to the right are always made with the woman's right leg, and front crosses to the left are always made with her left leg.

Diagram 5.

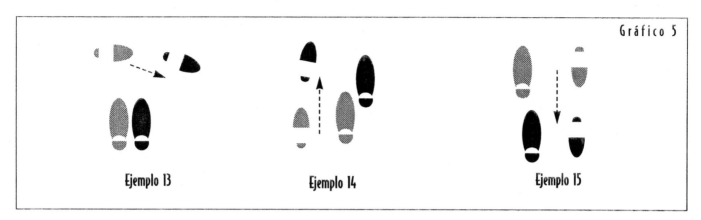

Ejemplo 13   Ejemplo 14   Ejemplo 15

Ejemplo 13

El hombre tiene el peso del cuerpo en sus dos piernas. La mujer cruza con su pierna derecha por delante de la izquierda (desde el punto de vista del hombre). Este es un Cruce adelante hacia la derecha. Si antes de hacer este paso, los bailarines están enfrentados, con sus pies juntos, la mujer deberá primero rotar su cuerpo.

Ejemplo 14

Aquí el hombre hace un pequeño traslado al mismo tiempo que la mujer hace un Cruce adelante hacia la derecha del hombre. La pierna derecha de la mujer, cruza por delante de la izquierda. El hombre podría estar trasladándose en cualquier dirección, o sea que puede dar un paso con su pierna izquierda hacia atrás, o con su pierna derecha, hacia adelante. Por ello, lo que haga el hombre es independiente de los movimientos que realice la mujer.

Ejemplo 15

El paso de la mujer es un Cruce adelante hacia la derecha. La pierna derecha de la mujer cruza por delante de su pierna izquierda. La flecha de dirección de la mujer está por la parte interna de la pareja, ya que la única forma de hacer el paso respetando las huellas es haciendo un Cruce adelante de la pierna derecha.

Con estas descripciones de pasos, podemos describir absolutamente todos los pasos y secuencias que se suceden en el tango. Siempre que

Example 13

The man has the weight of his body on both feet. The woman crosses with her right leg in front of the left (from the man's point of view). This is a Front cross step to the right. If before making this step, the dancers are facing each other with their feet together, the woman will first have to rotate her body.

Example 14

Here, while the man is making a short line of movement, the woman is taking a Front cross step to the man's right. The woman's right leg crosses in front of the left. The man can be moving in any direction so he can take a step with his left foot back or with his right foot forward - what the man does is independent of the movements the woman makes.

Example 15

The woman's step is a Front cross to the right. The woman's right leg crosses in front of her left leg. Her direction arrow is to the inside of the couple, as the only way of taking the step, with respect to the foot prints, is by taking a Front cross step with the right foot.

In this way we can describe absolutely all the steps and sequences that occur in tango. Providing that we take each sequence step by step and that

desglosemos una secuencia, paso a paso, y tomemos cada uno de los pasos como una acción independiente, podremos encontrar una definición de Cruce atrás, adelante o Apertura, hacia la derecha o izquierda. En todas estas definiciones hemos descrito los pasos de la mujer con respecto al hombre. También estas definiciones sirven para describir los pasos del hombre con respecto a la mujer. Es importante familiarizarse con estos pasos de la mujer hasta lograr reconocer cada movimiento.

we treat each one of these steps as an independent action, we can describe Back Cross, Front Cross or Open Steps to the right or to the left.
In all of these descriptions we've explained the woman's steps in relation to the man, but they also serve to explain the man's steps in relation to the woman. The woman and the man should practice these steps until they have become fully familiar with them.

Reconocimiento de Direcciones

Las direcciones que tenemos que reconocer para nombrar los pasos de la mujer o del hombre son las que utilizamos anteriormente para describir los cruces atrás, adelante y Apertura. En este caso, explicaremos cómo reconocer las direcciones de la mujer, que también sirven para describir las direcciones del hombre.

Los cruces atrás y los cruces adelante tienen la misma dirección de la pierna que están utilizando, es decir un Cruce atrás hacia la izquierda siempre será con la pierna izquierda, o un Cruce adelante hacia la derecha, siempre será con la pierna derecha.

Solamente las Aperturas tienen la dirección opuesta a la pierna que están utilizando, es decir que hacia la derecha se realizan con la pierna izquierda, y hacia la izquierda, con la pierna derecha.

Directions Reconnaissance

The directions we have used to orient the woman or the man's steps are those already used to describe Back cross, Front cross and Open steps.
In this case, we will explain how to orient the woman's directions, which also serve to describe the directions of man.

Back crosses and Front crosses have the same leg direction, that is to say, a Back cross step to the left will always be with the left leg and a Front cross step to the right will be with the right leg.

Only the Open steps use the opposite leg, which means that to the right they are made with the left leg and to the left they are made with the right.

Sistemas

Hasta el momento, hemos analizado el baile desde un solo punto de vista. Es decir, un bailarín hace un paso y el otro es sólo tomado como punto de referencia. Para seguir nuestra comprensión de los pasos del tango, analizaremos ahora a los dos bailarines simultáneamente. Así podremos definir un sistema de piernas y de traslados. Para describir el tipo de sistema que una pareja elige para bailar es necesario observar la relación que existe entre las piernas de los bailarines y sus direcciones.

Comenzaremos por analizar las piernas. Cuando los dos bailarines es-

Systems

For the moment we have only analyzed from one point of view: in other words the dancer takes a step and his or her partner is seen only as a point of reference. To assist our comprehension of tango steps we will now analyze both dancers' directions simultaneously. In this way we will describe a system of "legs" and "lines of movement".
To make a description of the type of system a couple chooses when they dance together we have to look at the relationship between the dancers' legs and the directions they move in.
We'll begin by analyzing the feet. When the two dancers are using their

tán utilizando sus piernas derechas para hacer un paso, decimos que están en un sistema Cruzado. También están en un sistema Cruzado si ambos utilizan sus piernas izquierdas.

En cambio, si el hombre utiliza su pierna izquierda y la mujer, su derecha, decimos que el sistema es Paralelo. Lo mismo ocurre si el hombre utiliza su pierna derecha y la mujer, su izquierda. Gráfico 6.

En los gráficos vemos claramente las diferentes combinaciones. Cuando queremos definir en qué sistema está bailando la pareja, en un momento determinado, debemos tomar en consideración las piernas que están utilizando para realizar el movimiento. Gráfico 7.

right feet to take a step we say they are in the Cross legs system. They are also in the Cross legs system if both of them step on their left feet.

Whereas, if the man uses his left foot and the woman her right, we say the system is Parallel. The same occurs if the man uses his right foot and the woman her left. Diagram 6.

In the diagrams we can see clearly the different combinations. When we want to define which system the couple is dancing in at any given moment, we must look at which legs or feet the couple is using to make the movement. Diagram 7.

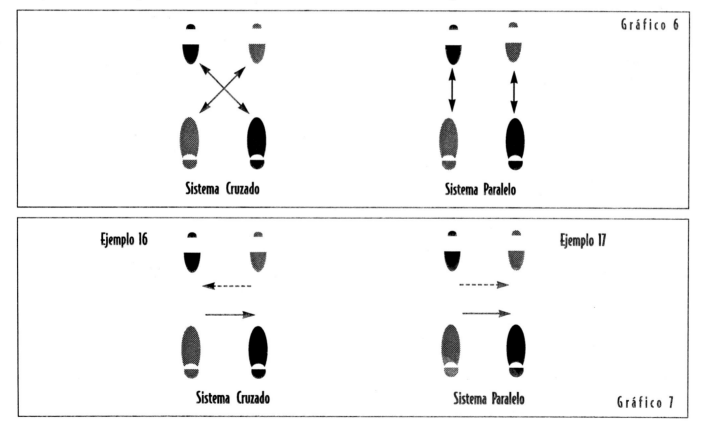

Sistema Cruzado   Sistema Paralelo   Gráfico 6

Ejemplo 16   Ejemplo 17

Sistema Cruzado   Sistema Paralelo   Gráfico 7

Ejemplo 16

El hombre hace una Apertura hacia la izquierda de la mujer. La mujer está haciendo una Apertura hacia la izquierda del hombre. El sistema de piernas es Cruzado porque la relación de piernas es derecha con derecha.

Ejemplo 17

El hombre hace una Apertura hacia la izquierda. La mujer hace una Apertura hacia la derecha. El sistema de piernas es Paralelo porque el hombre pisa con derecha y la mujer con izquierda.

Ejemplo 18

Aquí vemos cómo el hombre da un paso con su pierna derecha, y la mujer también utiliza su pierna derecha. Se trata de un sistema Cruzado.

Example 16

The man takes an Open step to the woman's left, she takes an Open step to the man's left, therefore the legs system is crossed because the legs relationship is right with right.

Example 17

The man takes an Open step to the left. The woman takes an Open step to the right. The legs system is parallel because the man steps with right and the woman with left.

Example 18.

Here the man takes a step with his right foot and the woman also steps on her right foot, therefore they are in Cross Legs System.

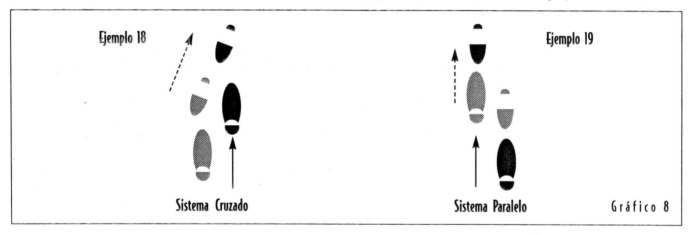

Ejemplo 18   Sistema Cruzado

Ejemplo 19   Sistema Paralelo   Gráfico 8

Ejemplo 19

Aquí, el hombre da un paso con su pierna izquierda, y la mujer utiliza su pierna derecha, o sea que están utilizando un sistema Paralelo.

Todos los ejemplos y explicaciones que analizamos hasta este momento están describiendo el sistema de acuerdo con las piernas que los bailarines utilizan.

También podemos llamar sistema Paralelo o Contrario al referirnos a las direcciones que los bailarines toman uno respecto del otro. Es decir que si la mujer hace una Apertura hacia la derecha, o cualquier pa-

Example 19.

Here the man takes a step with his left foot and the woman with her right, so they are in Parallel legs system.

All the examples and explanations we have analyzed until now describe the system according to the steps the dancers take.

We can also call the systems that refer to the directions the dancers take in relation to each other parallel or contrary. For example: if the woman takes an Open step to the right, or any other step to the man's right, and the man takes a Front cross step to the woman's right, we can

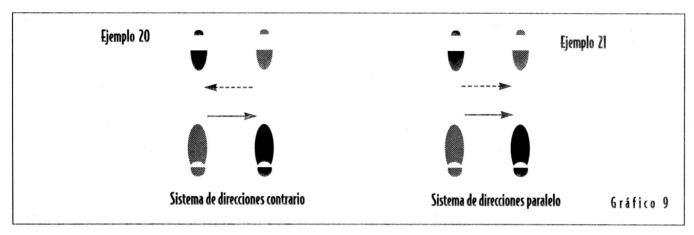

Ejemplo 20

Ejemplo 21

Sistema de direcciones contrario

Sistema de direcciones paralelo

Gráfico 9

so hacia la derecha del hombre; y el hombre hace un Cruce adelante hacia la derecha de la mujer, podemos decir que la pareja está utilizando un sistema de direcciones Contrario. Debemos tener en cuenta que la dirección de la mujer es siempre descripta desde el punto de vista del hombre y la del hombre, desde el punto de vista de la mujer. Si el hombre hace un paso hacia la izquierda de la mujer, y la mujer hacia la derecha del hombre, estos están utilizando un sistema de direcciones Paralelo. Gráfico 9.

Ejemplo 20

El hombre está realizando una Apertura hacia la izquierda de la mujer. La mujer, una Apertura hacia la izquierda del hombre. Están en un sistema de direcciones Contrario y utilizan un sistema de piernas Cruzado.

Ejemplo 21

Aquí la mujer realiza una Apertura hacia la derecha del hombre, y el hombre, una Apertura hacia la izquierda de la mujer. Están es un sistema de dirección Paralelo y utilizan un sistema de piernas Paralelo.

Ejemplo 22

El hombre hace una Apertura hacia la izquierda de la mujer, y la mujer, un Cruce atrás hacia la izquierda del hombre. La pareja se está moviendo en un sistema de direcciones Contrario, y utiliza un sistema de piernas Paralelo, porque el hombre pisa con pierna derecha y la mujer, con izquierda.

say the couple is using a system of Contrary directions. Note that the woman's direction is always described from the man's point of view, and the man's is always described from the woman's point of view.

If the man takes a step to the woman's left and the woman to the man's right, they are using a system of Parallel directions.

Diagram 9.

Example 20

The man takes an Open step to the woman's left. The woman does an Open step to the man's left: they are dancing in a system of Contrary directions and use the Cross legs system.

Example 21

Here the woman takes an Open step to the man's right, and the man an Open step to the woman's left. They are dancing in a system of Parallel directions and are using the Parallel legs system.

Example 22

The man takes an Open step to the woman's left and the woman takes a Back cross step to the man's left. The couple is moving in a system of Contrary directions and uses the Parallel legs system, as the man steps on his right foot and the woman steps on her left.

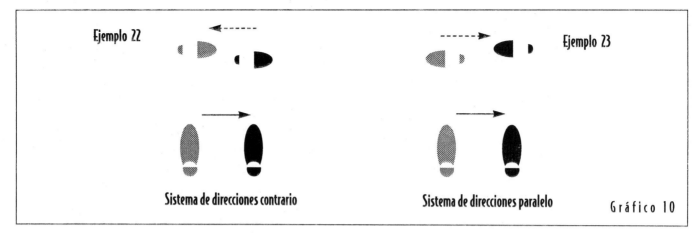

Ejemplo 22

Sistema de direcciones contrario

Ejemplo 23

Sistema de direcciones paralelo

Gráfico 10

Ejemplo 23

El hombre realiza una Apertura hacia la izquierda de la mujer, y la mujer, un Cruce atrás hacia la derecha del hombre. Es un sistema de direcciones Paralelo, y un sistema de piernas Cruzado, ya que los dos utilizan las piernas derecha.

Hasta el momento, hemos descrito y analizado el baile, desde el punto de vista de las piernas y sus direcciones, desde un bailarín hacia el otro y viceversa. Es decir, que con estás definiciones podemos describir y catalogar cualquier secuencia. Es muy aconsejable familiarizarse con este material antes de seguir avanzando.

Está ultima parte referente a el sistema de direcciones Paralelo y Contrario, se volverá a analizar más adelante, integrando nuevas variantes. Igualmente, lo más importante es reconocer con facilidad qué es un sistema de direcciones Cruzado o Contrario.

Example 23

The man takes an Open step to the woman's left and the woman a Back Cross step to the man's right.

They are moving in a system of Parallel directions, with the Cross legs system, as the two use their right legs.

We have described and analyzed the dance from the point of view of the legs and the directions they move in, from one dancer to the other. In other words we can describe and list any sequence using these definitions. We advise the student to become fully acquainted with this material before moving on.

We will go back over this last part referring to the system of Parallel and Contrary directions, integrating new variations. The most important thing is to be able to easily recognize the system of Contrary and Parallel directions.

Paso contra Paso

La forma más sencilla que encontramos en el tango es una persona parada en sus dos pies, y la otra realizando un solo paso (ver antes en el texto). Para seguir incrementando el grado de complejidad, ahora debemos analizar secuencias donde los dos bailarines den un

Step against step

A simpler form to be found in tango is where the dancer stands with weight on both feet, and the other takes only one step (see above text). To go on increasing the grade of complexity we must now look at sequences where the two dancers take a step each.

paso cada uno. Es decir que veremos las combinaciones que existen cuando un bailarín hace un paso simultáneo al otro.

Por ejemplo, la mujer puede hacer un Cruce atrás, Cruce adelante o Apertura en las direcciones derecha o izquierda. Y el hombre, por su parte, también tiene las mismas posibilidades. Ahora veremos cómo combinar estos pasos, tomando a la pareja como una unidad. En la siguiente lista, el primer paso lo realiza la mujer y el segundo, el hombre.

1- Apertura / Apertura
2- Apertura / Cruce atrás
3- Apertura / Cruce adelante
4- Cruce atrás / Apertura
5- Cruce atrás / Cruce atrás
6- Cruce atrás / Cruce adelante
7- Cruce adelante / Apertura
8- Cruce adelante / Cruce atrás
9- Cruce adelante / Cruce adelante

Este grupo de nueve posibilidades puede funcionar en dos direcciones, es decir que tanto la mujer como el hombre pueden realizar la Apertura / Apertura tanto hacia la derecha o hacia la izquierda. Esto funciona en un sistema de direcciones Paralelo o Contrario. Las siguientes son todas las posibilidades que existen para la primera relación de la lista.

1- Apertura derecha / Apertura derecha
Apertura derecha / Apertura izquierda
Apertura izquierda / Apertura derecha
Apertura izquierda / Apertura izquierda

Estas cuatro posibilidades existen para cada una de las nueve formas de paso contra paso de la lista. Es decir que contamos con un total de treinta y seis combinaciones de un paso contra otro paso. Aquí están incluidos, los cambios de rol, sistema de direcciones Paralelo o Contrario y direcciones individuales de iniciación de derecha o izquierda. Los próximos ejemplos explican estas 36 combinaciones.

1- Combinación Apertura / Apertura

This means combinations where the dancers step simultaneously with each other.

For instance, the woman can take a Back cross, Front cross or an Open step in the right or left directions. The man has the same possibilities. Now we will look at how to combine these steps, taking the couple as a unit.

In the following list the first step is made by the woman, and the second by the man.

1- Open step / Open step
2- Open step / Back cross
3- Open step / Front Cross
4- Back Cross / Open step
5- Back cross / Back cross
6- Back cross / Front cross
7- Front cross / Open step
8- Front cross / Back cross
9- Front cross / Front cross

This group of nine possibilities can work in two directions:-either the woman or the man can take an Open step / Open step to the right or to the left. This works in the system of Parallel or Contrary directions. The following list gives all the subsequent possibilities that can be combined from number one on the list.

1- Open right step / Open right step
Open right step / Open left step
Open left step / Open right step
Open left step / Open left step

Each one of the nine forms has these four possibilities, step against step on the list. Therefore we can count a total of thirty-six combinations of step against step, including changes of role, systems of parallel or contrary directions and individual directions of initiation to the right or to the left.

The following examples explain these thirty-six combinations.

1- Combination Open step / Open step

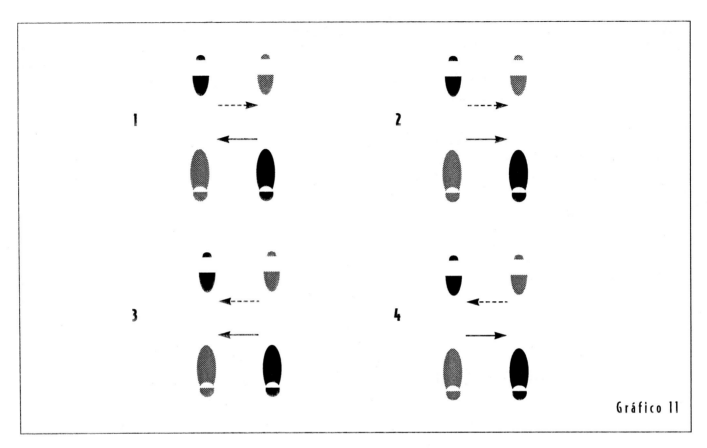

Gráfico 11

Ejemplo 1

La mujer hace una Apertura hacia la derecha y el hombre, también. Están en un sistema de direcciones Contrario. El hombre va hacia la derecha, y la mujer también. El sistema de piernas es Cruzado: la mujer pisa con izquierda y el hombre, también.

Ejemplo 2

La mujer realiza una Apertura hacia la derecha, y el hombre, una Apertura hacia la izquierda. Están en un sistema de direcciones Paralelo. El hombre va hacia la izquierda y la mujer, hacia la derecha. El sistema de piernas es Paralelo: la mujer pisa con izquierda y el hombre con derecha.

Example 1

Both the woman and the man take an Open step to the right. They are in the Contrary directions system. The man goes to the right and so does the woman. They dance with Cross legs system; the woman steps with the left and so does the man.

Example 2

The woman takes an Open step to the right and the man an Open step to the left. They are in the Parallel system of directions. The man goes to the left and the woman to the right. The leg system is Parallel: the woman steps on the left foot and the man on the right.

Ejemplo 3

La mujer hace una Apertura hacia la izquierda, y el hombre, una Apertura hacia la derecha. Están en un sistema de direcciones Paralelo; el hombre va hacia la derecha y la mujer, hacia la izquierda. El sistema de piernas es Paralelo, la mujer pisa con derecha y el hombre con izquierda.

Ejemplo 4

La mujer hace una Apertura hacia la izquierda, y el hombre una Apertura hacia la izquierda. Están en un sistema de direcciones Contrario; tanto el hombre como la mujer se dirigen hacia la izquierda. El sistema de piernas es Cruzado, la mujer pisa con derecha y el hombre también.

Example 3

The woman takes an Open step to the left and the man an Open step to the right. They are in the Parallel directions system: the man goes to the right and the woman to the left. The leg system is Parallel, the woman steps with the right foot and the man with the left.

Example 4

The woman takes an Open step to the left and so does the man. They are in the Contrary directions system, either the man or the woman lead to the left. They are in Cross legs system, the woman steps on her right foot and so does the man.

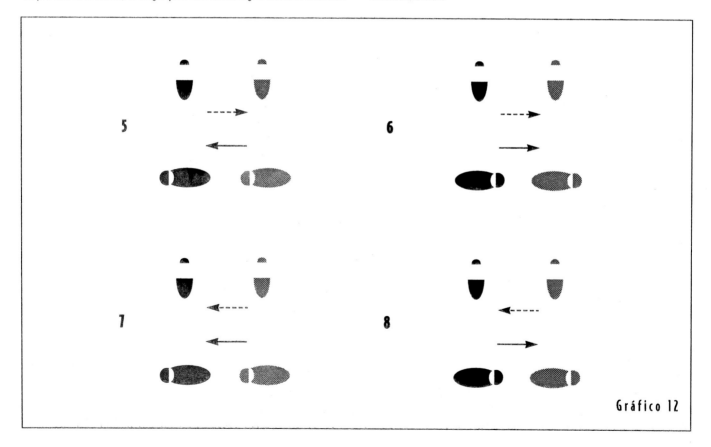

Gráfico 12

2- Combinación Apertura / Cruce atrás

Ejemplo 5

La mujer realiza una Apertura hacia la derecha, y el hombre un Cruce atrás hacia la derecha. Están en un sistema de direcciones Contrario, el hombre va hacia la derecha y la mujer, también. El sistema de piernas es Paralelo; la mujer pisa con izquierda y el hombre, con derecha.

Ejemplo 6

La mujer hace una Apertura hacia la derecha, y el hombre, un Cruce atrás hacia la izquierda. Están en un sistema de direcciones Paralelo, el hombre va hacia la izquierda y la mujer, hacia la derecha. El sistema de piernas es Cruzado: la mujer pisa con izquierda y el hombre también.

Ejemplo 7

La mujer hace una Apertura hacia la izquierda, y el hombre, un Cruce atrás hacia la derecha. Están en un sistema de direcciones Paralelo; el hombre va hacia la derecha y la mujer, hacia la izquierda. El sistema de piernas es Cruzado: la mujer pisa con derecha y el hombre también.

Ejemplo 8

La mujer hace una Apertura hacia la izquierda, y el hombre un Cruce atrás hacia la izquierda. Están en un sistema de direcciones Contrario; el hombre va hacia la izquierda y la mujer también. El sistema de piernas es Paralelo: la mujer pisa con derecha y el hombre con izquierda.

3- Combinación Apertura / Cruce adelante

Ejemplo 9

La mujer hace una Apertura hacia la derecha, y el hombre un Cruce adelante hacia la derecha. Están en un sistema de direcciones Contrario, el hombre esta yendo hacia la derecha y la mujer también. El sistema de piernas es Paralelo, la mujer pisa con izquierda y el hombre con derecha.

Ejemplo 10

La mujer hace una Apertura hacia la derecha, y el hombre, un Cruce adelante hacia la izquierda. Están en un sistema de direcciones Paralelo, el hombre va hacia la izquierda y la mujer, hacia la derecha.

2- Combination Open step / Back cross

Example 5

The woman takes an Open step with the right and the man takes a Back cross step to the right. They are in a the Contrary directions system, the man goes to the right and so does the woman. The legs system is Parallel: the woman steps with her left foot and the man with his right.

Example 6

The woman takes an Open step to the right and the man takes a Back cross step to the left. They are in the Parallel directions system, the man goes to the left and the woman to the right. This is Cross legs system: The woman steps with the left and so does the man.

Example 7

The woman takes an Open step to the left and the man a Back cross step to the right. They are in the Parallel directions system: the man goes to the right and the woman to the left. This is Cross legs system, the woman steps with the right foot and so does the man.

Example 8

The woman takes an Open step to the left and the man a Back cross step to the left. They are in the system of Contrary directions; the man goes to the left and so does the woman. This is a Parallel legs system: the woman steps on the right foot and the man with the left.

3- Combination Open step / Front Cross

Example 9

The woman takes an Open step to the right, and the man takes a Front cross step to the right. They are in a system of Contrary directions, the man is going to the right and so is the woman. This is Parallel legs system, the woman steps with the left foot and the man with the right.

Example 10

The woman takes an Open step to the right, and the man takes a Front cross step to the left. They are in the system of Parallel directions, the man goes to the left and the woman to the right.

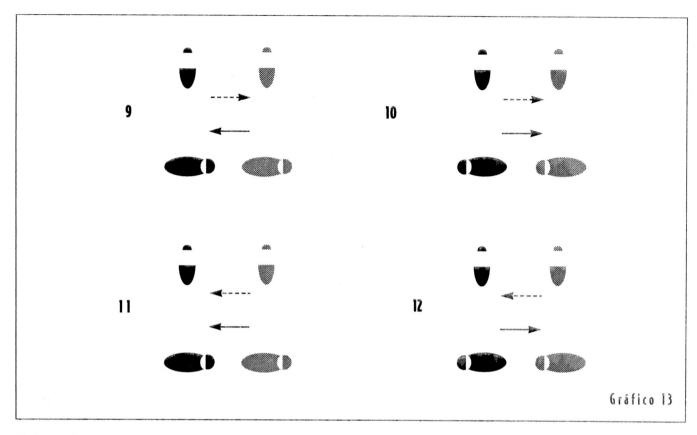

Gráfico 13

El sistema de piernas es Cruzado, la mujer pisa con izquierda y el hombre, también.

Ejemplo 11

La mujer hace una Apertura hacia la izquierda, y el hombre un Cruce adelante hacia la derecha. Están en un sistema de direcciones Paralelo; el hombre va hacia la derecha y la mujer, hacia la izquierda. El sistema de piernas es Cruzado, la mujer pisa con derecha y el hombre, también.

Ejemplo 12

La mujer hace una Apertura hacia la izquierda, y el hombre un Cruce adelante hacia la izquierda. Están en un sistema de direcciones

It is the Cross legs system, the woman steps with the left foot so does the man.

Example 11

The woman takes an Open step to the left, and the man takes a Front cross step to the right. They are in a system of Parallel directions; the man goes to the right, and the woman to the left. It is Cross legs system, the woman steps on the right foot and so does the man.

Example 12

The woman takes an Open step to the left, and the man takes a Front cross step to the left. They are in a system of Contrary directions, the man goes to

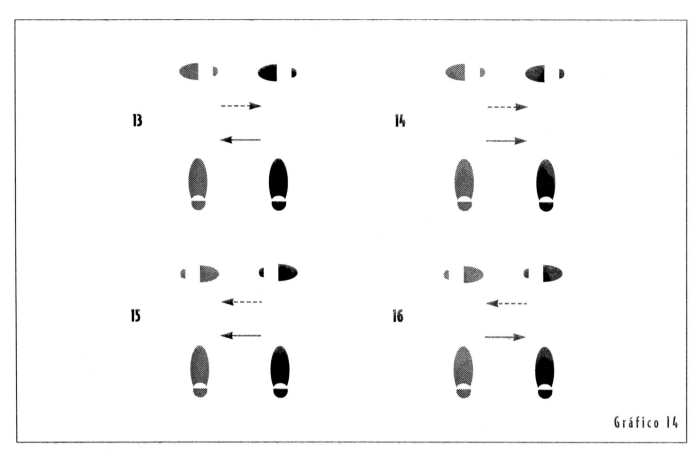

Gráfico 14

Contrario, el hombre va hacia la izquierda y la mujer también. El sistema de piernas es Paralelo; la mujer pisa con derecha y el hombre con izquierda.

4- Combinación Cruce atrás / Apertura

Ejemplo 13

La mujer hace un Cruce atrás hacia la derecha, y el hombre una Apertura hacia la derecha. Están en un sistema de direcciones Contrario; tanto el hombre como la mujer van hacia la derecha. El sistema de piernas es Paralelo; la mujer pisa con derecha y el hombre con izquierda.

the left and so does the woman. It is Parallel legs system, the woman steps with the right foot and the man with the left.

4- Combination Back cross / Open step

Example 13

The woman takes a Back cross step to the right and the man takes an Open step to the right. They are in the Contrary directions system; both the man and the woman go to the right. This is the Parallel legs system; the woman steps with her right foot and the man with his left.

Ejemplo 14

La mujer hace un Cruce atrás hacia la derecha, y el hombre una Apertura hacia la izquierda. Están en un sistema de direcciones Paralelo; el hombre va hacia la izquierda y la mujer, hacia la derecha. El sistema de piernas es Cruzado; la mujer pisa con derecha y el hombre también.

Ejemplo 15

La mujer hace un Cruce atrás hacia la izquierda, y el hombre una Apertura hacia la derecha. Están en un sistema de direcciones Paralelo; el hombre va hacia la derecha y la mujer, hacia la izquierda. El sistema de piernas es Cruzado; la mujer pisa con izquierda y el hombre también.

Ejemplo 16

La mujer hace un Cruce atrás hacia la izquierda, y el hombre una Apertura hacia la izquierda. Están en un sistema de direcciones Contrario; el hombre va hacia la izquierda y la mujer también. El sistema de piernas es Paralelo; la mujer pisa con izquierda y el hombre con derecha.

5- Combinación Cruce atrás / Cruce atrás

Ejemplo 17

La mujer hace un Cruce atrás hacia la derecha, y el hombre un Cruce atrás hacia la derecha. Están en un sistema de direcciones Contrario; el hombre y la mujer van hacia la derecha. El sistema de piernas es Cruzado, la mujer pisa con derecha y el hombre también.

Ejemplo 18

La mujer hace un Cruce atrás hacia la derecha, y el hombre un Cruce atrás hacia la izquierda. Están en un sistema de direcciones Paralelo, el hombre va hacia la izquierda y la mujer, hacia la derecha. El sistema de piernas es Paralelo; la mujer pisa con derecha y el hombre, con izquierda.

Ejemplo 19

La mujer hace un Cruce atrás hacia la izquierda, y el hombre un Cruce atrás hacia la derecha. Están en un sistema de direcciones Paralelo, el hombre va hacia la derecha y la mujer, hacia la izquierda. El sistema de piernas es Paralelo; la mujer pisa con izquierda y el hombre, con derecha.

Example 14

The woman takes a Back Cross step to the right and the man takes an Open step to the left. They are in the Parallel directions system; the man goes to the left and the woman to the right. This is the Cross legs system; the woman steps with the right foot and so does the man.

Example 15

The woman takes a Back cross step to the left and the man takes an Open step to the right. They are in the Parallel directions system; the man goes to the right and the woman to the left. This is the Cross legs system; the woman steps with the left foot and so does the man.

Example 16

The woman takes a Back cross step to the left, and the man takes an Open step to the left. They are in the Contrary directions system; the man goes to the left and so does the woman. This is the Parallel legs system; the woman steps with the left foot and the man with the right.

5- Combination Back Cross / Back Cross.

Example 17

The woman takes a Back Cross step to the right and so does the man. They are in the Contrary directions system; the man and the woman go to the right. This is the Cross legs system, both the woman and the man step with the right foot.

Example 18

The woman takes a Back Cross step to the right and the man takes a Back Cross step to the left. They are in the Parallel system of directions, the man goes to the left and the woman goes to the right. This is the Parallel legs system; the woman steps with the right foot and the man with the left.

Example 19

The woman takes a Back Cross step to the left and the man takes a Back Cross step to the right. They are in the Parallel system of directions, the man goes to the right and the woman goes to the left. This is the Parallel legs system; the woman steps with the left foot and the man with the right.

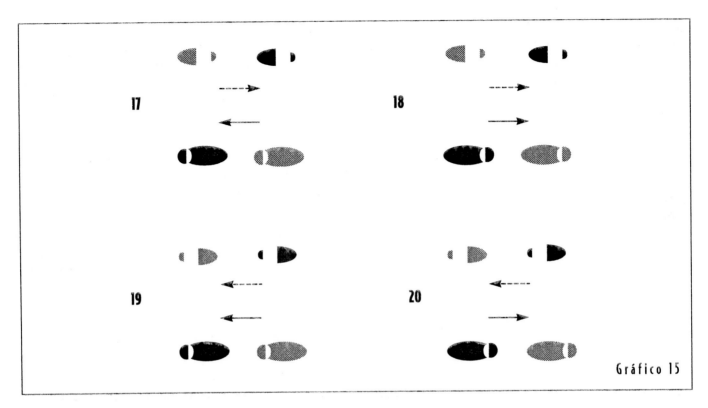

Gráfico 15

Ejemplo 20

La mujer realiza un Cruce atrás hacia la izquierda, y el hombre, un Cruce atrás hacia la izquierda. Están en un sistema de direcciones Contrario; el hombre y la mujer van hacia la izquierda. El sistema de piernas es Cruzado; la mujer pisa con izquierda y el hombre también.

6- Combinación Cruce atrás / Cruce adelante

Ejemplo 21

La mujer hace un Cruce atrás hacia la derecha, y el hombre, un Cruce adelante hacia la derecha. Están en un sistema de direcciones Contrario; el hombre va hacia la derecha y la mujer, también. El sistema de piernas es Cruzado; la mujer pisa con derecha y el hombre, también.

Example 20

The woman takes a Back Cross step to the left and the man, a Back Cross step to the left. They are in the Contrary directions system; the man and the woman go to the left. This is the Cross legs system; the woman steps with the left foot and so does the man.

6- Combination Back Cross / Front Cross

Example 21

The woman takes a Back Cross step to the right and the man takes a Front Cross step to the right. They are in the system of Contrary directions; the man goes to the right and the woman also. This is the Cross legs system, the woman steps with the right foot and so does the man.

Ejemplo 22

La mujer hace un Cruce atrás hacia la derecha, y el hombre, un Cruce adelante hacia la izquierda. Están en un sistema de direcciones Paralelo, el hombre va hacia la izquierda y la mujer, hacia la derecha. El sistema de piernas es Paralelo; la mujer pisa con derecha y el hombre con izquierda.

Ejemplo 23

La mujer hace un Cruce atrás hacia la izquierda, y el hombre, un Cruce adelante hacia la derecha. Están en un sistema de direcciones Paralelo; el hombre va hacia la derecha y la mujer, hacia la izquierda. El sistema de piernas es Paralelo, la mujer pisa con izquierda y el hombre, con derecha.

Ejemplo 24

La mujer hace un Cruce atrás hacia la izquierda, y el hombre, un Cruce adelante hacia la izquierda. Están en un sistema de direcciones Contrario, el hombre va hacia la izquierda y la mujer también. El sistema de piernas es Cruzado; la mujer pisa con izquierda y el hombre también.

Example 22

The woman takes a Back Cross step to the right and the man takes a Front Cross step to the left. They are in the Parallel system of directions, the man goes to the left and the woman to the right. This is the Parallel legs system; the woman steps with the right foot and the man with the left.

Example 23

The woman takes a Back Cross step to the left, and the man takes a Front Cross step to the right. They are in the Parallel system of directions; the man goes to the right but the woman to the left. This is the Parallel legs system, the woman steps with the left foot and the man with the right.

Example 24

The woman takes a Back Cross step to the left, and the man takes a Front Cross step to the left. They are in the Contrary system of directions, the man goes to the left and so does the woman. This is the Cross legs system; the woman steps with the left foot and so does the man.

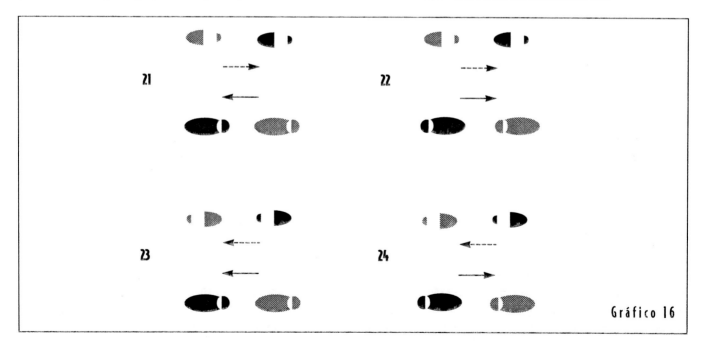

Gráfico 16

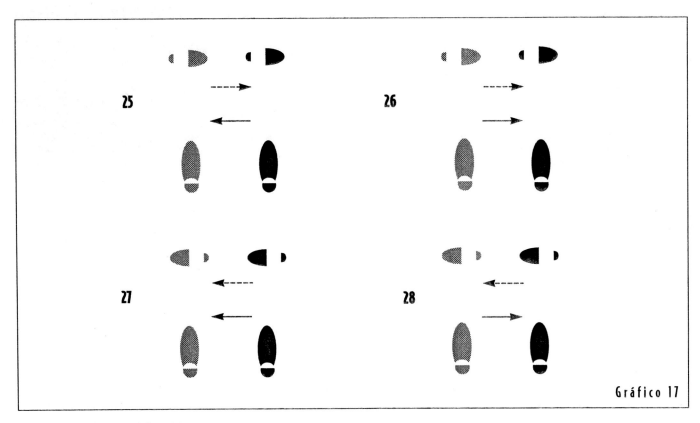

Gráfico 17

7- Combinación Cruce adelante/ Apertura

Ejemplo 25

La mujer hace un Cruce adelante hacia la derecha, y el hombre, una Apertura hacia la derecha. Están en un sistema de direcciones Contrario; el hombre va hacia la derecha y la mujer también. El sistema de piernas es Paralelo, la mujer pisa con derecha mientras que el hombre con izquierda.

Ejemplo 26

La mujer hace un Cruce adelante hacia la derecha, y el hombre, una Apertura hacia la izquierda. Están en un sistema de direcciones Paralelo; el hombre va hacia la izquierda y la mujer, hacia la derecha. El sistema de piernas es Cruzado, la mujer pisa con derecha y el hombre también.

7- Combination Front Cross / Open step

Example 25

The woman takes a Front Cross step to the right and the man takes an Open step to the right. They are in the Contrary system of directions; the man goes to the right and so does the woman. This is the Parallel legs system, while the woman steps with the right foot, the man steps with the left.

Example 26

The woman takes Front Cross step to the right, and the man takes an Open step to the left. They are in the Parallel system of directions; the man goes to the left and the woman to the right. This is the Cross legs system, the man and the woman step with the right foot.

Ejemplo 27

La mujer hace un Cruce adelante hacia la izquierda, y el hombre, una Apertura hacia la derecha. Están en un sistema de direcciones Paralelo, el hombre va hacia la derecha y la mujer, hacia la izquierda. El sistema de piernas es Cruzado, la mujer pisa con izquierda y el hombre también.

Ejemplo 28

La mujer hace un Cruce adelante hacia la izquierda, y el hombre una Apertura hacia la izquierda. Están en un sistema de direcciones Contrario, el hombre va hacia la izquierda y la mujer también. El sistema de piernas es Paralelo, la mujer pisa con izquierda y el hombre, con derecha.

8- Combinación Cruce adelante/ Cruce atrás

Ejemplo 29

La mujer hace un Cruce adelante hacia la derecha, y el hombre un Cruce atrás hacia la derecha. Están en un sistema de direcciones Contrario; tanto el hombre como la mujer van hacia la derecha. El sistema de piernas es Cruzado, la mujer pisa con derecha y el hombre también.

Ejemplo 30

La mujer hace un Cruce adelante hacia la derecha, y el hombre un Cruce atrás hacia la izquierda. Están en un sistema de direcciones Paralelo, el hombre va hacia la izquierda y la mujer hacia la derecha. El sistema de piernas es Paralelo; la mujer pisa con derecha y el hombre con izquierda.

Ejemplo 31

La mujer hace un Cruce adelante hacia la izquierda, y el hombre un Cruce atrás hacia la derecha. Están en un sistema de direcciones Paralelo; el hombre va hacia la derecha y la mujer hacia la izquierda. El sistema de piernas es Paralelo: la mujer pisa con izquierda y el hombre con derecha.

Ejemplo 32

La mujer hace un Cruce adelante hacia la izquierda, y el hombre, un Cruce atrás hacia la izquierda. Están en un sistema de direcciones Contrario; el hombre va hacia la izquierda y la mujer también. El sistema de piernas es Cruzado; la mujer pisa con izquierda y el hombre también.

Example 27

The woman takes a Front Cross step to the left, and the man takes an Open step to the right. They are in the Parallel system of directions, the man goes to the right and the woman goes to the left. This is the Cross legs system, the woman steps with the left foot and so does the man.

Example 28

The woman takes a Front Cross step to the left, and the man takes an Open step to the left. They are in the Contrary system of directions, the man goes to the left, and so does the woman. This is the Parallel legs system, the woman steps with the left foot, and the man with the right.

8- Combination Front Cross / Back Cross.

Example 29

The woman takes a Front Cross step to the right, and the man takes a Back Cross step to the right. They are in the Contrary system of directions; both the man and the woman go to the right. This is the Cross legs system, the woman steps with the right foot and so does the man.

Example 30

The woman takes a Front Cross step to the right, and the man takes a Back Cross step to the left. They are in the Parallel system of directions, the man goes to the left and the woman to the right. This is the Parallel legs system, the woman steps with the right foot, and the man with the left.

Example 31

The woman takes a Front Cross step to the left, and the man takes a Back Cross step to the right. They are in the Parallel system of directions; the man goes to the right and the woman goes to the left. This is the Parallel legs system, the woman steps with the left and the man with the right.

Example 32

The woman takes a Front Cross step to the left, and the man takes a Back Cross step to the left. They are in the system of Contrary directions; the man goes to the left and so does the woman. This is the Cross legs system, the woman steps with the left foot and so does the man.

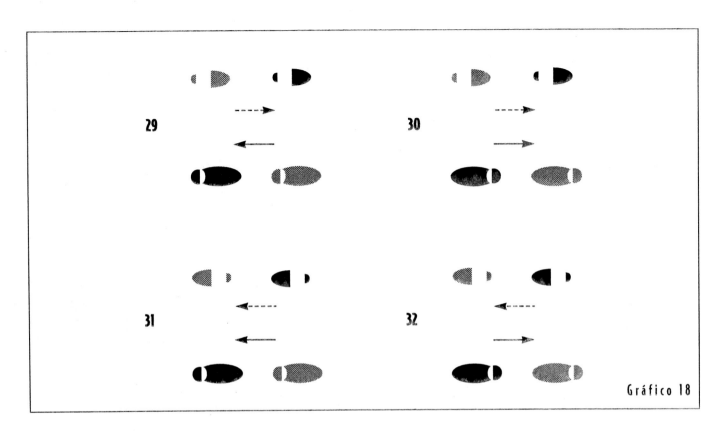

Gráfico 18

9- Combinación Cruce adelante/ Cruce adelante

Ejemplo 33

La mujer hace un Cruce adelante hacia la derecha, y el hombre un Cruce adelante hacia la derecha. Están en un sistema de direcciones Contrario, el hombre va hacia la derecha y la mujer también. El sistema de piernas es Cruzado, la mujer pisa con derecha y el hombre también.

Ejemplo 34

La mujer hace un Cruce adelante hacia la derecha, y el hombre un Cruce adelante hacia la izquierda. Están en un sistema de direcciones Paralelo, el hombre va hacia la izquierda y la mujer hacia la derecha. El sistema de piernas es Paralelo, la mujer pisa con derecha y el hombre con izquierda.

9- Combination Front Cross / Front Cross

Example 33

The woman takes a Front Cross step to the right, and the man takes a Front Cross step to the right. They are in the Contrary system of directions, the man goes to the right and so does the woman. This is the Cross legs system, the woman steps with the right foot and so does the man.

Example 34

The woman takes a Front Cross step to the right, and the man takes a Front Cross step to the left. They are in the Parallel system of directions, the man goes to the left while the woman goes to the right. This is the Parallel legs system, the woman steps with the right foot and the man with the left.

Ejemplo 35

La mujer hace un Cruce adelante hacia la izquierda, y el hombre un Cruce adelante hacia la derecha. Están en un sistema de direcciones Paralelo, el hombre va hacia la derecha y la mujer hacia la izquierda. El sistema de piernas es Paralelo, la mujer pisa con izquierda y el hombre con derecha.

Ejemplo 36

La mujer hace un Cruce adelante hacia la izquierda, y el hombre un Cruce adelante hacia la izquierda. Están en un sistema de direcciones Contrario, el hombre va hacia la izquierda y la mujer también. El sistema de piernas es Cruzado, la mujer pisa con izquierda y el hombre también.

Example 35

The woman takes a Front Cross step to the left, and the man takes a Front Cross step to the right. They are in the Parallel system of directions, the man goes to the right and the woman goes to the left. This is the Parallel legs system, the woman steps with the left foot while the man steps with the right.

Example 36

The woman takes a Front Cross step to the left, and the man takes a Front Cross step to the left. They are in the Contrary system of directions, the man goes to the left and so does the woman. This is the Cross legs system, both the woman and the man step with the left foot.

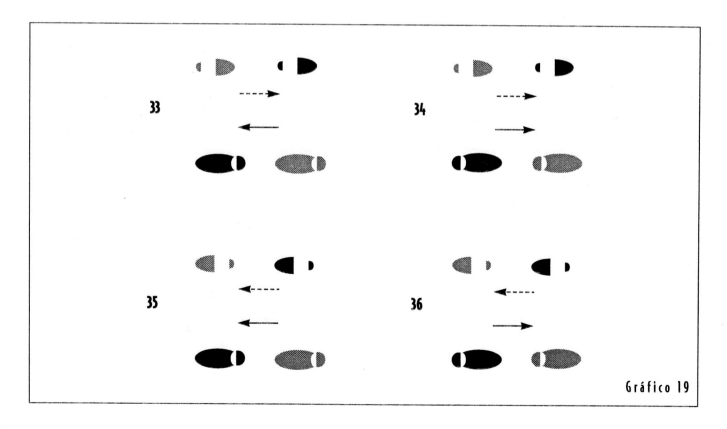

Gráfico 19

Dos Pasos

En este capitulo vamos a explicar las posibilidades que existen para que la mujer realice una secuencia de dos pasos. Por ahora, no ahondaremos en lo que hace el hombre.

Tomamos como ejemplo a la mujer dando dos pasos, siempre hacia la derecha, obtendremos el siguiente set de posibilidades:

Hacia la derecha del hombre

Apertura- Cruce adelante
Apertura - Cruce atrás
Cruce adelante - Apertura
Cruce atrás - Apertura

Estas 4 opciones también funcionan hacia la izquierda del hombre. Son las únicas 4 posibilidades para mantener la misma dirección durante los dos pasos.

Ejemplo 1

El primer paso de la mujer es una Apertura hacia la derecha del hombre, el segundo paso es un Cruce adelante también hacia la derecha del hombre.

Two Steps

In this chapter we are going to explain all the possibilities the woman has to make a sequence out of two steps. For the present we won't go into the man's part in any great depth.

Taking for example the woman making two steps, always to the right, we get the following set of possibilities:

To the man's right

Open step - Front Cross
Open step - Back Cross
Front Cross- Open step
Back Cross - Open step

These four options also work to the man's left. They are the only four possibilities if we want to follow the same direction during the sequence.

Example 1

The woman's first step is an Open step to the man's right, the second is a Front Cross step to the man's right also.

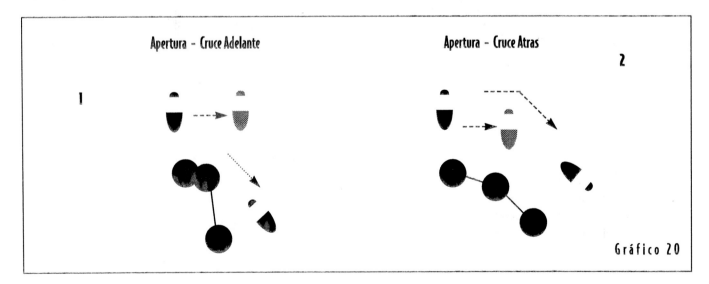

Apertura - Cruce Adelante   Apertura - Cruce Atras

Gráfico 20

Nótese que la pierna derecha de la mujer, esta pasando por delante de la izquierda con respecto al hombre.

The woman's right leg passes in front her left leg in relation to the man.

Ejemplo 2

Aquí también el primer paso de la mujer es una Apertura hacia la derecha, pero el segundo paso es un Cruce atrás hacia la derecha. Nótese que la pierna derecha debe pasar por detrás de la izquierda, con respecto a la ubicación del hombre.

Example 2

Here the woman's first step is also an Open step to the right, but the second step is a Back Cross step to the right. The right leg must pass behind the left in relation to the man's position.

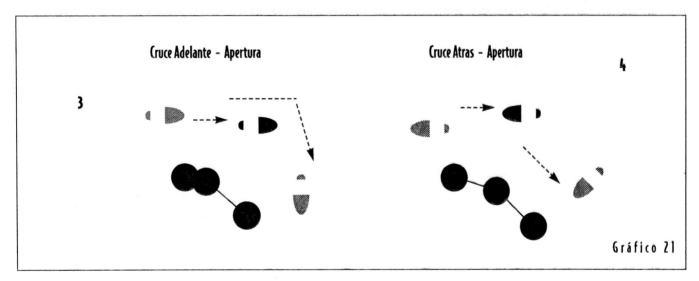

Cruce Adelante - Apertura   **Cruce Atras - Apertura**

3   4

Gráfico 21

Ejemplo 3

El primer paso de la mujer es un Cruce adelante hacia la derecha, la pierna izquierda pasa por detrás de la derecha para hacer el segundo paso que es una Apertura hacia la derecha.

Ejemplo 4

El primer paso de la mujer es un Cruce atrás hacia la derecha. La pierna izquierda de la mujer pasa por delante de la derecha para hacer una Apertura hacia la derecha del hombre.

En estos cuatro ejemplos vemos las cuatro posibilidades que tiene la mujer para realizar dos pasos con la misma dirección. Desde ya que, cambiando la dirección de desplazamiento de los pasos de la mujer,

Example 3

The woman's first step is a Front Cross to the right, the left foot passes behind the right to take the second step which is an Open step to the right.

Example 4

The woman's first step is a Back Cross to the right. Her left foot passes in front of the right to take an Open step to the man's right.

In the four possibilities shown in these four examples, the woman has to take two steps in the same direction. Clearly, by changing the direction of the woman's steps, we can form an infinite number of variations using

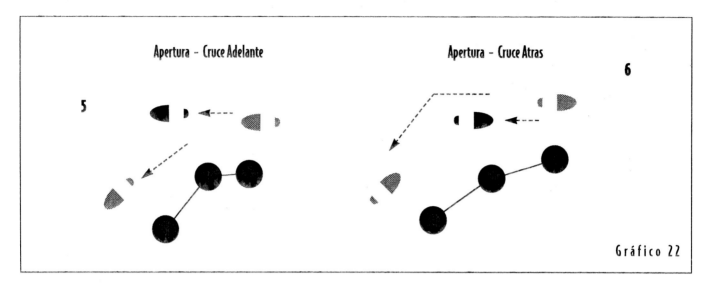

Apertura - Cruce Adelante

5

Apertura - Cruce Atras

6

Gráfico 22

podremos obtener infinidad de ejemplos, que también se ajustan a estas cuatro posibilidades. La dirección de desplazamiento no tiene que ver con la dirección en la cual la mujer se mueve con respecto al hombre.

Los cuatro ejemplos que veremos a continuación son hacia la izquierda del hombre.

Ejemplo 5

El primer paso de la mujer es una Apertura hacia la izquierda del hombre, luego la pierna izquierda de la mujer pasa por delante de la derecha para hacer un Cruce adelante hacia la izquierda del hombre.

Ejemplo 6

El primer paso de la mujer es una Apertura hacia la izquierda del hombre. La pierna izquierda de la mujer pasa por detrás de la derecha, para hacer un Cruce atrás hacia la izquierda del hombre.

Ejemplo 7

El primer paso de la mujer es un Cruce adelante hacia la izquierda del hombre; luego con su pierna derecha (que pasa por detrás de la izquierda) la mujer realiza una Apertura hacia la izquierda.

these four possibilities as the starting point. The direction of the woman's steps is independent of the direction she moves to in relation to the man.

The next four examples are to the man's left.

Example 5

The woman's first step is an Open step to the man's left where her left foot passes in front of the right to take a Front Cross step to the man's left.

Example 6

Here her first step is an Open step to the man's left. Her left foot passes behind the right to take a Back Cross step to the man's left.

Example 7

The woman's first step is a Front Cross to the man's left; then, she takes an Open step to the left with her right foot (passing behind the left).

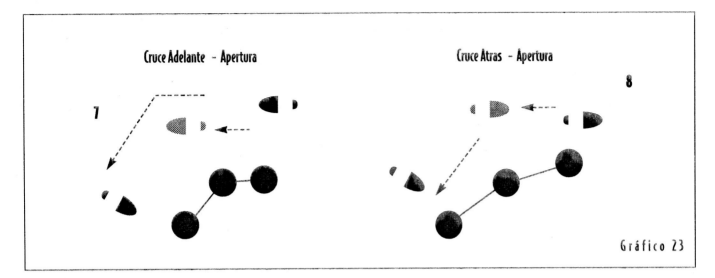

Cruce Adelante - Apertura

Cruce Atras - Apertura

7

8

Gráfico 23

Ejemplo 8

El primer paso de la mujer es un Cruce atrás hacia la izquierda del hombre; luego la pierna derecha pasa por delante de la izquierda para hacer una Apertura hacia la izquierda del hombre.

Hasta el momento hemos explicado cuatro combinaciones orientadas al lado derecho del hombre, y cuatro combinaciones, al lado izquierdo. Estas mismas combinaciones que realiza la mujer deben también ser practicadas por el hombre. Más adelante nos referiremos a este cambio de rol (lo que hacía la mujer, lo realizará el hombre).

En la sección siguiente veremos cuáles son las posibilidades de combinación tomando en cuenta los movimientos que realiza el hombre.

Example 8

Her first step is a Back Cross to the man's left; then, the right foot passes in front of the left to take an Open step to the man's left.

Up to now we have explained four combinations performed by the woman to the man's right side, and four combinations performed to his left. The man should also practice these same combinations from the woman's point of view. Later on we'll go into this change of role, looking at the woman's part performed by the man.

In the following section we look at combination possibilities from the man's point of view.

Dos Pasos Contra Dos Pasos

En esta sección veremos las posibilidades de combinación que existen cuando tanto el hombre como la mujer dan dos pasos en un sistema de direcciones Paralelo. Como primer set de posibilidades, veremos los más sencillos. Estos casos tienen, sin embargo, algunas restricciones. La primera es que la pareja debe estar durante los dos pa-

Two Steps Against Two Steps

In this section we will look at possible combinations when the man takes two steps in the Parallel sistem of directions. The first set of possibilities are simpler, however these have some restrictions. One restriction is that the couple must dancing the Parallel system of directions when taking the two steps.

sos en un sistema de direcciones Paralelo. El sistema de piernas puede ser Cruzado o Paralelo, y los dos deben hacer los dos pasos al mismo tiempo sin cambiar de pie entre los dos pasos.

Con estas restricciones, obtenemos este set de posibilidades:

1- Apertura- Cruce adelante / Apertura- Cruce adelante
2- Apertura- Cruce adelante / Apertura - Cruce atrás
3- Apertura- Cruce adelante / Cruce adelante - Apertura
4- Apertura- Cruce adelante / Cruce atrás - Apertura

5- Apertura- Cruce atrás / Apertura- Cruce adelante
6- Apertura- Cruce atrás / Apertura - Cruce atrás
7- Apertura- Cruce atrás / Cruce adelante - Apertura
8- Apertura- Cruce atrás / Cruce atrás - Apertura

9- Cruce adelante - Apertura / Cruce adelante - Apertura
10- Cruce adelante - Apertura / Apertura- Cruce adelante
11- Cruce adelante - Apertura / Apertura - Cruce atrás
12- Cruce adelante - Apertura / Cruce atrás - Apertura

13- Cruce atrás - Apertura / Cruce atrás - Apertura
14- Cruce atrás - Apertura / Apertura- Cruce adelante
15- Cruce atrás - Apertura / Apertura - Cruce atrás
16- Cruce atrás - Apertura / Cruce adelante - Apertura

The legs system can be Parallel or Cross, and the couple should take the two steps at the same time, without changing foot between the two steps.

Here is the set of combination possibilities, with their restrictions:

1- Open step - Front Cross / Open step - Front Cross
2- Open step - front Cross / Open step - Back Cross
3- Open step - Front Cross / Front Cross - Open step
4- Open step - Front Cross / Back Cross - Open step

5- Open step - Back Cross / Open step Front Cross
6- Open step - Back Cross / Open step - Back Cross
7- Open step - Back Cross / Front Cross - Open step
8- Open step - Back Cross / Back Cross - Open step

9- Front Cross - Open step / Front Cross - Open step
10- Front Cross - Open step / Open step - Front Cross
11- Front cross - Open step / Open step - Back Cross
12- Front Cross - Open step / Back Cross - Open step

13- Back Cross - Open step / Back Cross - Open step
14- Back Cross - Open step / Open step - Front Cross
15- Back Cross - Open step / Open step - Back Cross
16- Back Cross - Open step / Front cross - Open step

En estas 16 secuencias, tenemos todas las posibilidades que existen en una secuencia de dos pasos contra dos pasos en la misma dirección.

Los primeros dos pasos corresponden a la mujer y los otros dos pasos al hombre. Las 16 secuencias de la mujer pueden hacerse hacia la derecha o hacia la izquierda. Esto significa que en realidad existen 32 secuencias. Siempre hay que recordar que los dos pasos se dan en una misma dirección, y que la pareja utiliza un sistema de direcciones Paralelo.

Con estos ejemplos cubrimos todas las posibilidades de combinar dos pasos de la mujer, en relación con los dos pasos del hombre, en un sistema de direcciones Paralelo. Siendo los dos pasos de la mujer en una sola dirección, y los dos pasos del hombre, también en una sola dirección.

In these 16 sequences, we have all the possible variations in a sequence of two steps against two steps in the same direction.

The first two steps belong to the woman and the second two belong to the man. The woman can make these 16 sequences to the right or to the left. This means that, for her, 32 sequences exist altogether. Always remembering that the two steps are made in the same direction and that the couple is dancing in the Parallel system of directions.

With these examples we cover all the possible variations combining the woman's two steps in relation to the man's two steps (in the Parallel system of directions), where the two steps of both the woman and the man are taken in one direction only.

Debe tenerse en cuenta que cuando hablamos de combinar estas secuencias de dos pasos, nos referimos solamente a la combinación de los tres diferentes pasos de Apertura, Cruce adelante y Cruce atrás. Si tomáramos en cuenta direcciones, rotación, traslados con rotación etc., las posibilidades serían infinitas.

Pero, sin lugar a dudas, esta clasificación aunque básica, es una estructura fundamental para el entendimiento del funcionamiento básico del baile. Ya que, aunque estemos bailando las secuencias más difíciles que se nos puedan ocurrir, siempre podremos entenderlas y clasificarlas como Apertura, Cruce atrás y Cruce adelante.

A continuación daremos un ejemplo de cada una para su aprendizaje y práctica.

1- Apertura- Cruce adelante / Apertura- Cruce adelante
2- Apertura- Cruce adelante / Apertura - Cruce atrás

We must remember that when we talk about combining these sequences of two steps, we are only referring to the combinations of the three different Open, Front Cross and Back Cross steps. If we were to look at directions, rotations and lines of movement with rotations etc., the possibilities would be infinite.

The breakdown of this set of variations, though elementary, is fundamental to a good understanding of the basic functioning of the dance.
So that even when we are dancing the most difficult sequences, we will always be able to break them down by referring back to the Open step, Back Cross and Front Cross steps.

Here is an example of each variant for the purposes of learning and practice.

1- Open step - Front Cross / Open step - Front Cross
2- Open step - Front Cross / Open step - Back Cross

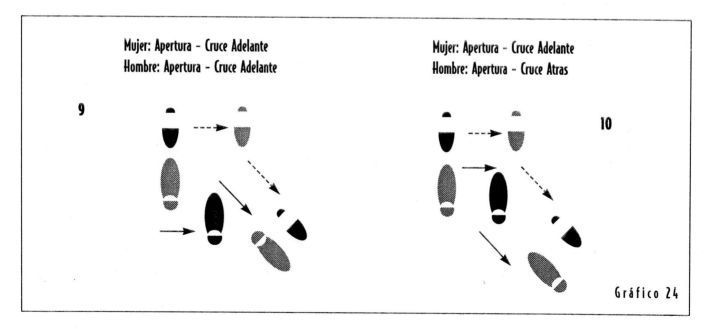

Mujer: Apertura - Cruce Adelante
Hombre: Apertura - Cruce Adelante

9

Mujer: Apertura - Cruce Adelante
Hombre: Apertura - Cruce Atras

10

Gráfico 24

Ejemplo 9

La mujer está haciendo una Apertura hacia la derecha del hombre; luego su pierna derecha pasa por delante de su pierna izquierda para hacer un Cruce adelante hacia la derecha del hombre. El hombre hace una Apertura hacia la izquierda de la mujer, luego su pierna izquierda pasa por delante de la derecha (desde el punto de vista de la mujer) para hacer un Cruce adelante hacia la izquierda de la mujer. Están en un sistema de piernas Paralelo; la mujer da el primer paso con su izquierda y el hombre, con su derecha; el segundo paso de la mujer es con derecha y el hombre con izquierda. El sistema de direcciones es Paralelo; la mujer da sus dos pasos hacia la derecha del hombre, y el hombre hace sus dos pasos hacia la izquierda de la mujer.

Ejemplo 10

La mujer realiza una Apertura hacia la derecha del hombre; luego su pierna derecha pasa por delante de su pierna izquierda para hacer un Cruce adelante hacia la derecha del hombre.

El hombre hace una Apertura hacia la izquierda de la mujer, luego su pierna izquierda pasa por detrás de la derecha (desde el punto de vista de la mujer) para hacer un Cruce atrás hacia la izquierda de la mujer. Están en un sistema de piernas Paralelo; la mujer hace su primer paso con la izquierda y el hombre, con su derecha; el segundo paso de la mujer es con la derecha y el hombre, con izquierda. El sistema de direcciones es Paralelo; la mujer hace sus dos pasos hacia la derecha del hombre, y el hombre hace sus dos pasos hacia la izquierda de la mujer.

3- Apertura- Cruce adelante / Cruce adelante - Apertura
4- Apertura- Cruce adelante / Cruce atrás - Apertura

Ejemplo 11

La mujer realiza una Apertura hacia la derecha del hombre, luego su pierna derecha pasa por delante de su pierna izquierda para hacer un Cruce adelante hacia la derecha del hombre. El hombre hace un Cruce adelante hacia la izquierda de la mujer, luego su pierna derecha pasa por detrás de la izquierda (desde el punto de vista de la mujer) para hacer una Apertura hacia la izquierda de la mujer. Están en un

Example 9

The woman takes an Open step to the man's right; then she passes her right foot in front of her left take a Front Cross step to the man's right.

The man takes an Open step to the woman's left, then he passes his left foot in front his right (from the woman's point of view) to take a Front Cross step to the woman's left.

They are in the Parallel legs system; the woman takes her first step with her left, and the man takes his first step with his right; the woman's second is with her right and the man's is with his left.

This is the Parallel system of directions; the woman takes her two steps to the man's right, and the man takes his two steps to her left.

Example 10

The woman takes an Open step to the man's right, then passes her right foot in front of her left to take a Front Cross step to the man's right.

The man takes an Open step to the woman's left, then passes his left foot behind his right (from the woman's point of view) to take a Back Cross step to the woman's left.

They are in the Parallel legs system; the woman takes her first step to the left and the man takes his first step to his right; the woman's second step is with her right foot and the man's with his left. It is the Parallel system of directions; the woman takes two steps to the man's right and the man takes two steps to the woman's left.

3- Open step - Front Cross / Front Cross - Open step
4- Open step - Front Cross / Back Cross - Open step

Example 11

The woman takes an Open step to the man's right, then she passes her right foot in front of her left to take a Front Cross step to the man's right.

The man takes a Front Cross step to the woman's left, then passes his right foot behind the left (from the woman's point of view) to take an Open step to the woman's left. They are in the Cross legs system; the woman's first step is taken with her left foot and the man's first step is taken with his left

sistema de piernas Cruzado; el primer paso de la mujer lo hace con su izquierda y el del hombre, con su izquierda; el segundo paso de la mujer es con su derecha y el hombre, con derecha. El sistema de direcciones es Paralelo; la mujer hace sus dos pasos hacia la derecha del hombre, y el hombre hace sus dos pasos hacia la izquierda de la mujer.

Ejemplo 12

La mujer hace una Apertura hacia la derecha del hombre; luego su pierna derecha pasa por delante de su pierna izquierda para hacer un Cruce adelante hacia la derecha del hombre.

El hombre realiza un Cruce atrás hacia la izquierda de la mujer; luego su pierna derecha pasa por delante de la izquierda (desde el punto de vista de la mujer) para hacer una Apertura hacia la izquierda de la mujer. Están en un sistema de piernas Cruzado; la mujer da su primer paso con la izquierda y el hombre, con su izquierda; el segundo paso de la mujer es con la derecha y el del hombre, con la derecha. El sistema de direcciones es Paralelo; la mujer hace sus dos pasos hacia la derecha del hombre, y el hombre hace sus dos pasos hacia la izquierda de la mujer.

foot; her second step is taken with her right foot and the man's with his right foot.

They are the Parallel system of directions; the woman takes her two steps to the man' right, and the man takes his two steps to the woman's left

Example 12

The woman takes an Open step to the man's right; then she passes her right foot in front of her left to take a Front Cross step to the man's right.

The man takes a Back Cross step to the woman's left, then he passes his right foot in front of his left (from the woman's point of view) to take an Open step to the woman's left.

They are in the Cross legs system; the woman takes her first step with her left foot and the man takes his first step with his left; her second step is taken with the right foot and the man's is also taken with the right.

They are in the Parallel system of directions; the woman takes her two steps to the man's right, and the man takes his two to her left.

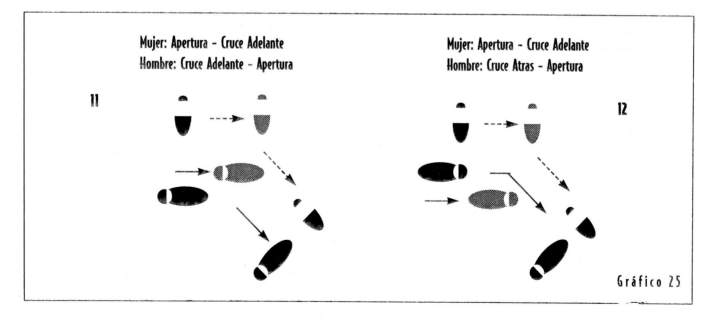

Mujer: Apertura - Cruce Adelante
Hombre: Cruce Adelante - Apertura

11

Mujer: Apertura - Cruce Adelante
Hombre: Cruce Atras - Apertura

12

Gráfico 25

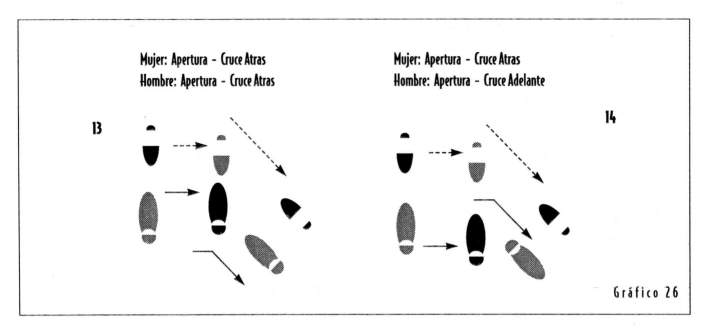

Mujer: Apertura - Cruce Atras
Hombre: Apertura - Cruce Atras

13

Mujer: Apertura - Cruce Atras
Hombre: Apertura - Cruce Adelante

14

Gráfico 26

5-   Apertura- Cruce atrás / Apertura - Cruce atrás
6-   Apertura- Cruce atrás / Apertura- Cruce adelante

5-   Open step - Back Cross / Open step - Back Cross
6-   Open step - Back Cross / Open step - Front Cross

Ejemplo 13

La mujer realiza una Apertura hacia la derecha del hombre, luego su pierna derecha pasa por detrás de su pierna izquierda para hacer un Cruce atrás hacia la derecha del hombre.

El hombre hace una Apertura hacia la izquierda de la mujer; luego su pierna izquierda pasa por detrás de la derecha (desde el punto de vista de la mujer) para hacer un Cruce atrás hacia la izquierda de la mujer. Están en un sistema de piernas Paralelo; la mujer da su primer paso con la izquierda y el hombre, con su derecha; el segundo paso de la mujer es con la derecha y el del hombre, con izquierda. El sistema de direcciones es Paralelo; la mujer hace sus dos pasos hacia la derecha del hombre, y el hombre hace sus dos pasos hacia la izquierda de la mujer.

Ejemplo 14

La mujer realiza una Apertura hacia la derecha del hombre, luego su

Example 13

The woman takes an Open step to the man's right, she then passes her right foot behind her left to take a Back Cross step to the man's right.

The man takes an Open step to the woman's left; he then passes his left foot behind his right (from the woman's point of view) to take a Back Cross step to the woman's left. They are in the Parallel legs system; the woman takes her first step with the left foot, while the man takes his first step with the right; her second step is with the right foot, and the man's is with the left. They are working in the Parallel system of directions; the woman takes two steps to the man's right, and the man takes two steps to the woman's left.

Example 14

The woman takes an Open step to the man's right; she then passes her right

pierna derecha pasa por detrás de su pierna izquierda para hacer un Cruce atrás hacia la derecha del hombre.

El hombre hace una Apertura hacia la izquierda de la mujer, luego su pierna izquierda pasa por delante de la derecha (desde el punto de vista de la mujer) para hacer un Cruce adelante hacia la izquierda de la mujer. Están en un sistema de piernas Paralelo; la mujer da su primer paso con la izquierda y el hombre, con su derecha; el segundo paso de la mujer es con derecha y el del hombre, con la izquierda. El sistema de direcciones es Paralelo; la mujer da sus dos pasos hacia la derecha del hombre, y el hombre da sus dos pasos hacia la izquierda de la mujer.

7- Apertura- Cruce atrás / Cruce adelante - Apertura
8- Apertura- Cruce atrás / Cruce atrás - Apertura

Ejemplo 15

La mujer realiza una Apertura hacia la derecha del hombre; luego su pierna derecha pasa por detrás de su pierna izquierda para hacer un Cruce atrás hacia la derecha del hombre.

El hombre hace un Cruce adelante hacia la izquierda de la mujer, lue-

foot behind her left to take a Back Cross step to the man's right. The man takes an Open step to the woman 's left; then he passes his left foot in front of his right (from the woman's point of view) to take a Front Cross step to the woman's left. They are in the Parallel legs system; the woman takes her first step with her left foot and the man takes his first step with his right; her second step is with her right foot, and the man's second step is with the left foot. They are working in the Parallel system of directions; the woman takes her two steps to the man's right, and the man takes his two steps to the woman's left.

7- Open step - Back Cross / Front Cross - Open step
8- Open step - Back Cross / Back Cross - Open step

Example 15

The woman takes an Open step to the man's right; she then passes her right foot behind her left to take a Back Cross step to the man's right.

The man takes a Front Cross step step to the woman 's left, he then passes

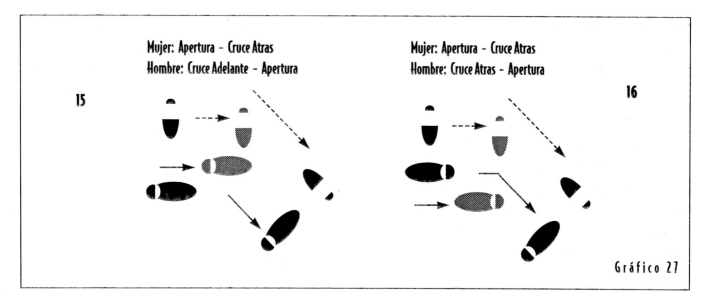

Mujer: Apertura - Cruce Atras
Hombre: Cruce Adelante - Apertura

15

Mujer: Apertura - Cruce Atras
Hombre: Cruce Atras - Apertura

16

Gráfico 27

go su pierna derecha pasa por detrás de la izquierda (desde el punto de vista de la mujer) para hacer una Apertura hacia la izquierda de la mujer. Están en un sistema de piernas Cruzado; el primer paso de la mujer lo hace con su izquierda y el hombre con su izquierda, el segundo paso de la mujer es con derecha y el hombre con derecha. El sistema de direcciones es Paralelo; la mujer hace sus dos pasos hacia la derecha del hombre, y el hombre hace sus dos pasos hacia la izquierda de la mujer.

Ejemplo 16

La mujer hace una Apertura hacia la derecha del hombre, luego su pierna derecha pasa por detrás de su pierna izquierda para hacer un Cruce atrás hacia la derecha del hombre.

El hombre realiza un Cruce atrás hacia la izquierda de la mujer, luego su pierna derecha pasa por delante de la izquierda (desde el punto de vista de la mujer) para hacer una Apertura hacia la izquierda de la mujer. Están en un sistema de piernas Cruzado; tanto el hombre como la mujer dan su primer paso con la izquierda, el segundo paso de la mujer es con la derecha y el del hombre, también. El sistema de direcciones es Paralelo; la mujer hace sus dos pasos hacia la derecha del hombre, y el hombre hace sus dos pasos hacia la izquierda de la mujer.

9- Cruce adelante - Apertura / Cruce adelante - Apertura
10- Cruce adelante - Apertura / Apertura- Cruce adelante

Ejemplo 17

La mujer realiza un Cruce adelante hacia la derecha del hombre, luego su pierna izquierda pasa por detrás de su pierna derecha para hacer una Apertura hacia la derecha del hombre.

El hombre hace un Cruce adelante hacia la izquierda de la mujer, luego su pierna derecha pasa por detrás de la izquierda (desde el punto de vista de la mujer) para hacer una Apertura hacia la izquierda de la mujer. Están en un sistema de piernas Paralelo; la mujer da su primer paso con la derecha y el hombre, con su izquierda; el segundo paso de la mujer es con la izquierda y el del hombre, con derecha. El sistema de direcciones es Paralelo; la mujer da sus dos pasos hacia la derecha del hombre, y el hombre, hacia la izquierda de la mujer.

his right foot behind his left (from the woman's point of view) to take an Open step to the woman's left. They are in the Cross legs system, the woman's first step is made with her left foot and the man's is also made with his left foot, her second step is made with her right foot and the man's second step is also made with his right foot. They are in the Parallel system of directions; the woman takes her two steps to the man's right, and the man takes his two steps to the woman's left.

Example 16

The woman takes an Open step to the man's right, then she passes her right foot behind her left to take a Back Cross step to the man's right.
The man takes a Back Cross step to the woman's left, then he passes his right foot in front of his left (from the woman's point of view) to take an Open step to the woman's left.

They are in the Cross legs system; both dancers take their first step with the left foot and both dancers take their second step with the right.
They are working in the Parallel system of directions; the woman takes her two steps to the man's right and the man takes his two steps to the woman's left.

9- Front Cross - Open step / Front Cross - Open step
10- Front Cross - Open step / Open step - Front Cross

Example 17

The woman takes a Front Cross step to the man's right, she then passes her left foot behind her right to take an Open step to the man's right.
The man takes a Front Cross step to the woman's left, he then passes his right foot behind his left (from the woman's point of view) to take an Open step to woman's left.

They are in the Parallel legs system; the woman takes her first step with the right foot and the man takes his first step with the left; the woman's second step is with the left foot and the man's second step is with the right. They are in the Parallel system of directions; the woman takes her two steps to the man's right, and the man takes his two steps to the woman's left.

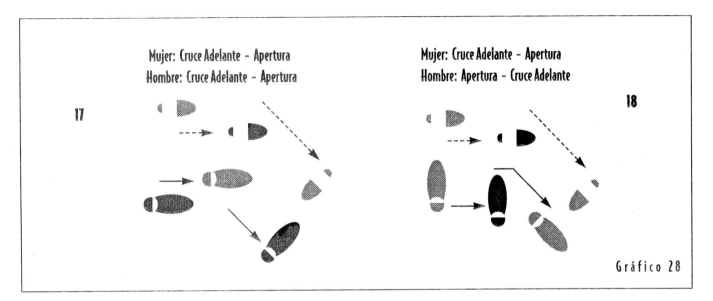

Mujer: Cruce Adelante - Apertura
Hombre: Cruce Adelante - Apertura

17

Mujer: Cruce Adelante - Apertura
Hombre: Apertura - Cruce Adelante

18

Gráfico 28

Ejemplo 18

La mujer realiza un Cruce adelante hacia la derecha del hombre, luego su pierna izquierda pasa por detrás de su pierna derecha para hacer una Apertura hacia la derecha del hombre.

El hombre hace una Apertura hacia la izquierda de la mujer, luego su pierna izquierda pasa por delante de la derecha (desde el punto de vista de la mujer) para hacer un Cruce adelante hacia la izquierda de la mujer. Están en un sistema de piernas Cruzado; tanto el hombre como la mujer dan el primer paso con la derecha y el segundo paso con la izquierda. El sistema de direcciones es Paralelo; la mujer hace sus dos pasos hacia la derecha del hombre, y el hombre hace sus dos pasos hacia la izquierda de la mujer.

11- Cruce adelante - Apertura / Apertura - Cruce atrás
12- Cruce adelante - Apertura / Cruce atrás - Apertura

Ejemplo 19

La mujer está haciendo un Cruce adelante hacia la derecha del hombre, luego su pierna izquierda pasa por detrás de su pierna derecha

Example 18

The woman takes a Front Cross step to the man's right, she then passes her left foot behind her right to take an Open step to the man's right.

The man takes an Open step to the woman's left, he then passes his left foot in front of the right (from the woman's point of view) to take a Front Cross step to the woman's left.

They are in the Cross legs system; both dancers take their first step with the right foot and their second step with the left foot. They are working in the Parallel system of directions; the woman takes two steps to the man's right, and the man takes two steps to the woman's left.

11- Front Cross - Open step / Open step - Back Cross
12- Front Cross - Open step / Back Cross - Open step

Example 19

The woman takes a Front Cross step to the man's right, she then passes her left foot behind her right to take an Open step to the man's right. The man

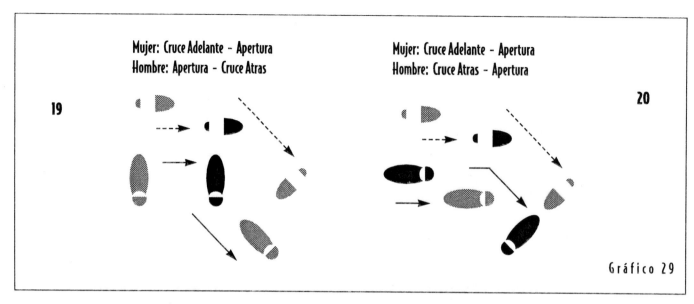

Mujer: Cruce Adelante – Apertura
Hombre: Apertura – Cruce Atras

19

Mujer: Cruce Adelante – Apertura
Hombre: Cruce Atras – Apertura

20

Gráfico 29

para hacer una Apertura hacia la derecha del hombre. El hombre realiza una Apertura hacia la izquierda de la mujer, luego su pierna izquierda pasa por detrás de la derecha (desde el punto de vista de la mujer) para hacer un Cruce atrás hacia la izquierda de la mujer. Están en un sistema de piernas Cruzado, la mujer da el primer paso de la mujer con su derecha y el hombre, con su derecha; el segundo paso de la mujer es con izquierda y el del hombre, con izquierda. El sistema de direcciones es Paralelo; la mujer hace sus dos pasos hacia la derecha del hombre, y el hombre hace sus dos pasos hacia la izquierda de la mujer.

Ejemplo 20

La mujer realiza un Cruce adelante hacia la derecha del hombre, luego su pierna izquierda pasa por detrás de su pierna derecha para hacer una Apertura hacia la derecha del hombre.

El hombre hace un Cruce atrás hacia la izquierda de la mujer, luego su pierna derecha pasa por delante de la izquierda (desde el punto de vista de la mujer) para hacer una Apertura hacia la izquierda de la mujer. Están en un sistema de piernas Paralelo, el primer paso, la mujer lo hace con su derecha y el hombre, con su izquierda; el segun-

takes an Open step to the woman's left, he then passes his left foot behind his right (from the woman's point of view) to take a Back Cross step to the woman's left.

They are in the Cross legs system, both dancers take their first step with their right foot and their second with left.

They are working in the Parallel system of directions; the woman takes her two steps to the man's right and the man takes his two steps to the woman's left.

Example 20

The woman takes a Front Cross step to the man's right, she then passes her left foot behind her right to take an open step to the man's right. The man takes a Back Cross step to the woman's left, he then passes his right foot in front of his left (from the woman's point of view) to take an Open step to the woman's left. They are in the Parallel legs system, the woman takes her first step with her right foot, and the man takes his first step with his left; the woman's second step is taken with her left foot and the man's is taken with his right foot. They are working in the Parallel system of directions; the

do paso de la mujer es con la izquierda y el hombre con, la derecha. El sistema es Paralelo; la mujer hace sus dos pasos hacia la derecha del hombre, y el hombre hace sus dos pasos hacia la izquierda de la mujer.

13- Cruce atrás - Apertura / Cruce atrás - Apertura
14- Cruce atrás - Apertura / Apertura- Cruce adelante

Ejemplo 21

La mujer realiza un Cruce atrás hacia la derecha del hombre, luego su pierna izquierda pasa por delante de su pierna derecha para hacer una Apertura hacia la derecha del hombre.

El hombre esta haciendo un Cruce atrás hacia la izquierda de la mujer, luego su pierna derecha pasa por delante de la izquierda (desde el punto de vista de la mujer) para hacer una Apertura hacia la izquierda de la mujer. Están en un sistema de piernas Paralelo, el primer paso la mujer lo hace con su derecha y el hombre, con su izquierda; el segundo paso de la mujer es con izquierda y el hombre, con derecha. El sistema de direcciones es Paralelo; la mujer hace sus dos pasos hacia la derecha del hombre, y el hombre hace sus dos pasos hacia la izquierda de la mujer.

woman takes her two steps to the man's right, and the man takes his two steps to the woman's left.

13- Back Cross - Open step / Back Cross - Open step
14- Back Cross - Open step / Open step - Front Cross

Example 21

The woman takes a Back Cross step to the man's right, she then passes her left foot in front of her right to take an Open step to the man's right.

The man takes a Back Cross step to the woman's left, he then passes his right foot in front of his left (from the woman's point of view) to take an Open step to the woman's left. They are in the Parallel legs system, the woman takes her first step with her right foot, and the man takes his first step with his left; her second step is with the left foot, and the man's second step is with his right. They are working in the Parallel system of directions; the woman takes her two steps to the man's right, and the man takes his two steps to the woman's left.

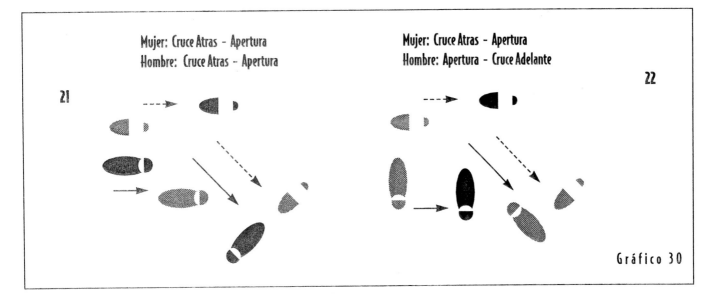

Mujer: Cruce Atras - Apertura
Hombre: Cruce Atras - Apertura

Mujer: Cruce Atras - Apertura
Hombre: Apertura - Cruce Adelante

21

22

Gráfico 30

La mujer está haciendo un Cruce atrás hacia la derecha del hombre, luego su pierna izquierda pasa por delante de su pierna derecha para hacer una Apertura hacia la derecha del hombre.

El hombre hace una Apertura hacia la izquierda de la mujer, luego su pierna izquierda pasa por delante de la derecha (desde el punto de vista de la mujer) para hacer un Cruce adelante hacia la izquierda de la mujer. Están en un sistema de piernas Cruzado, el primer paso la mujer lo hace con su derecha y el hombre, con su derecha; el segundo paso de la mujer es con izquierda y el del hombre, con izquierda. El sistema de direcciones es Paralelo; la mujer hace sus dos pasos hacia la derecha del hombre, y el hombre hace sus dos pasos hacia la izquierda de la mujer.

15- Cruce atrás - Apertura / Apertura - Cruce atrás
16- Cruce atrás - Apertura / Cruce adelante - Apertura

Ejemplo 23

La mujer realiza un Cruce atrás hacia la derecha del hombre, luego su pierna izquierda pasa por delante de su pierna derecha para hacer

Example 22

The woman takes a Back Cross step to the man's right. She then passes her left foot in front of her right to take an Open step to the man's right.

The man takes an Open step to the woman's left, he then passes his left foot in front of his right (from the woman's point of view) to take a Front Cross step to the woman's left. They are in the Cross legs system, both dancers take their first step with their right foot and their second step with their left. They are working in the Parallel system of directions; the woman takes her two steps to the man's right, and the man takes his two steps to the woman's left.

15- Back Cross - Open step / Open step - Back Cross
16- Back Cross - Open step / Front Cross - Open step

Example 23

The woman takes a Back Cross step to the man's right, she then passes her left foot in front of her right to take an Open step to the man's right.

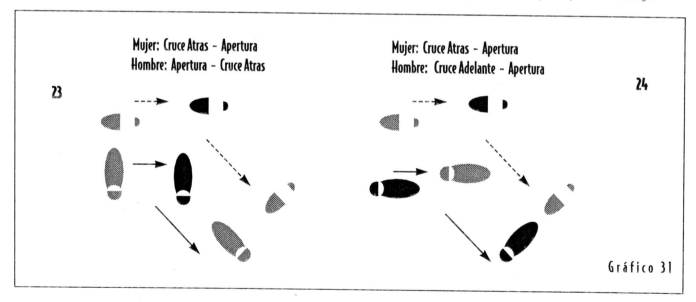

Mujer: Cruce Atras - Apertura
Hombre: Apertura - Cruce Atras

23

Mujer: Cruce Atras - Apertura
Hombre: Cruce Adelante - Apertura

24

Gráfico 31

una Apertura hacia la derecha del hombre. El hombre hace una Apertura hacia la izquierda de la mujer, luego su pierna izquierda pasa por detrás de la derecha (desde el punto de vista de la mujer) para hacer un Cruce atrás hacia la izquierda de la mujer. Están en un sistema de piernas Cruzado; el primer paso la mujer lo hace con su derecha y el hombre, con su derecha; el segundo paso de la mujer es con izquierda y el del hombre, con su izquierda. El sistema es Paralelo; la mujer hace sus dos pasos hacia la derecha del hombre, y éste hace sus dos pasos hacia la izquierda de la mujer.

Ejemplo 24

La mujer hace un Cruce atrás hacia la derecha del hombre, luego su pierna izquierda pasa por delante de su pierna derecha para hacer una Apertura hacia la derecha del hombre.

El hombre realiza un Cruce adelante hacia la izquierda de la mujer, luego su pierna derecha pasa por detrás de la izquierda (desde el punto de vista de la mujer) para hacer una Apertura hacia la izquierda de la mujer. Están en un sistema de piernas Paralelo, el primer paso la mujer lo hace con su derecha y el hombre ,con su izquierda; el segundo paso de la mujer es con izquierda y el del hombre, con derecha. El sistema de direcciones es Paralelo; la mujer hace sus dos pasos hacia la derecha del hombre, y el hombre hace sus dos pasos hacia la izquierda de la mujer.

He takes an Open step to the woman's left, he then passes his left foot behind his right (from the woman's point of view) to take a Back Cross step to the woman's left.

They are in the Cross legs system; both dancers take their first step with the right foot and their second step with the left.

They are working in the Parallel system of directions; she takes her two steps to the man's right, and he takes his two steps to the woman's left.

Example 24

The woman takes a Back Cross step to the man's right, she then passes her left foot in front of her right to take an Open step to the man's right.

The man takes a Front Cross step to the woman's left, he then passes his right foot behind his left (from the woman's point of view) to take an Open step to the woman's left. They are in the Parallel legs system, the woman takes her first step with her right foot and the man takes his first step with his left; the woman takes her second step with her left foot, and the man takes his second step with his right.

They are working in the Parallel system of directions; she takes her two steps to the man's right, and the man takes his two steps to the woman's left.

Cambios de Dirección

Al referirnos a los cambios de dirección, debemos tomar en cuenta que estamos hablando de dos pasos solamente, que pueden ser analizados tanto desde el punto de vista del hombre como desde el de la mujer. Es decir que podemos tomar dos pasos de cualquier secuencia y analizarlos como una unidad aislada, para así saber si está ocurriendo un cambio de dirección o no. Recordemos que las direcciones a las que aquí hacemos referencia son las anteriormente explicadas, y no direcciones de traslado reales en el espacio.

Changes of Direction

When we are talking about changes of direction, we must bear in mind that we are talking about only two steps which can be analyzed both from the man's and the woman's point of view.

That means that we can take two steps out of any sequence and analyze them in isolation to see if there is a change of direction happening or not. Bear in mind also that the directions we are talking about are those already described in previous exercises and not actual directions of the movement in space.

También debe tenerse en cuenta que para este análisis descartamos la posibilidad de cambiar de pierna después del primer paso. Es decir que si el individuo hace su primer paso con la pierna derecha, el segundo deberá hacerlo con pierna izquierda; y si empieza con izquierda, el segundo paso deberá ser con la derecha.

Como ya sabemos, sólo tenemos la posibilidad de hacer tres formas de pasos, analizándolos desde cualquiera de los dos puntos de referencia. Por lo tanto, analizaremos las posibilidades que existen, empezando alternativamente con una Apertura, con un Cruce adelante y luego con un Cruce atrás.

Al terminar de hacer el primer paso, que puede ser cualquiera de estas tres opciones, nos encontramos nuevamente con un set de tres nuevas posibilidades (las mismas que teníamos anteriormente).

En los ejemplos que están a continuación, veremos todas las variantes que existen en una secuencia de dos pasos, sin cambiar de pierna en el medio.

A p e r t u r a

Analizaremos qué opciones implican un cambio de dirección y cuáles no, empezando la secuencia de dos pasos con una Apertura. Allí veremos que existen sólo tres posibilidades de combinación para cada lado. Es decir, que podemos hacer: Apertura-Apertura, Apertura-Cruce adelante, Apertura-Cruce atrás. Estas combinaciones se duplican si pensamos que la secuencia podría empezar con una Apertura hacia la izquierda o una Apertura hacia la derecha. De estas posibilidades, una de ellas implica un cambio de dirección y las otras dos, la mantienen. En estos ejemplos, el hombre está dibujado como un círculo solamente porque, para catalogar los pasos de la mujer, sólo importa la ubicación en donde el hombre esté, y no qué pasos este realizando.

Ejemplo 1

El primer paso de la mujer es una Apertura hacia la derecha con su pierna izquierda, en este caso, avanzando en una diagonal. El hombre se traslada al mismo tiempo que la mujer en su primer paso. El segundo paso de la mujer es otra Apertura hacia la izquierda, avanzando en otra diagonal. El hombre acompaña este segundo paso al

For this analysis we are ruling out the possibility of changing feet after the first step. If the dancer takes his or her first step with the right foot, the second step must be taken with the left foot; and if he or she starts with the left foot, the second step must be with the right.

As already explained, we can only take three kinds of step - looking at each kind of step from either of two points of reference we will break down all the variations, first alternating an Open step with a Front Cross step, then with a Back Cross step.

On completing the first step, which could be any of the three, we find that we have a set of three new possibilities. The same possibilities as before, but to the other side.

In the following examples we'll see all the variations possible in a two step sequence.

O p e n   S t e p

We'll analyze which variations involve a change of direction and which variations do not. Beginning the two step sequence with an Open step, we see that there are only three possible combinations to each side. That means we can perform: Open step - Open step; Open step - Front Cross; Open step - Back Cross. Remember these combinations are doubled if we perform an Open step to the other side. We could start with an Open step to the left or an Open step to the right. One of these possibilities involves a change of direction, the other two do not. In the diagrams of these examples the man is indicated by a circle in order to show the steps the woman is making in relation to his position, since it is his position that is important and not the steps he is making.

Example 1th

The woman's first step is an Open step to the right with her left foot, in this case, moving forward on the diagonal. The man moves at the same time as she takes her first step. Her second step is another Open step to the left, moving forward on the other diagonal. Again, the man accompanies her second step in the same way.

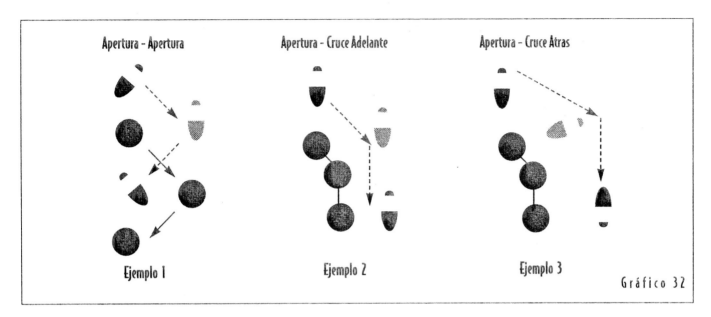

Apertura - Apertura

Apertura - Cruce Adelante

Apertura - Cruce Atras

Ejemplo 1

Ejemplo 2

Ejemplo 3

Gráfico 32

mismo tiempo que la mujer. Éste es el único ejemplo en donde se cambia de dirección durante los dos pasos.

This is the only example where there is a change of direction between the two steps.

Ejemplo 2

El primer paso de la mujer es una Apertura hacia la derecha con su pierna izquierda, en este caso, avanzando en una diagonal. El hombre se traslada al mismo tiempo que la mujer en su primer paso. El segundo paso de la mujer es un Cruce adelante con su pierna derecha, es decir que su pierna derecha esta pasando por delante de la izquierda (mirando desde el punto de vista del hombre). Este segundo paso lo hace avanzando. El hombre, acompaña este segundo paso al mismo tiempo que la mujer. En este ejemplo se mantiene la misma dirección durante los dos pasos.

Example 2

The woman's first step is an Open step to the right with her left foot, going forward on the diagonal. The man accompanies her first step as before. Her second step is a Front Cross with her right foot, which means her right foot passes in front of her left (seen from the man's point of view).

Her second step is taken moving forward and the man accompanies this second step as before. In this example the dancers maintain the same relationship during the two steps.

Ejemplo 3

El primer paso de la mujer es una Apertura hacia la derecha con su pierna izquierda, en este caso, avanzando en una diagonal. El hombre se traslada al mismo tiempo que la mujer en su primer paso. El segundo paso de la mujer es un Cruce atrás con su pierna derecha, es decir, que su pierna derecha está pasando por detrás de la izquier-

Example 3

The woman's first step is an Open step to the right with her left foot, in this case, going forward on the diagonal. The man moves at the same time. Her second step is a Back Cross with her right foot, which means her right foot passing behind her left (seen from the man's point of view). Her second step is taken moving forward.

da (mirando desde el punto de vista del hombre). Este segundo paso lo hace avanzando hacia delante. El hombre, acompaña este segundo paso al mismo tiempo que la mujer. En este ejemplo se mantiene la misma dirección durante los dos pasos. Como vemos en los ejemplos, la única posibilidad de un cambio de dirección después de una Apertura es otra Apertura. Si empezamos con una Apertura hacia la derecha, el cambio de dirección es una Apertura hacia la izquierda. Y si empezamos con una Apertura hacia la izquierda, el cambio de dirección es una Apertura hacia la derecha. Las otras dos opciones después de una Apertura son Cruce Adelante y Cruce atrás, que como vemos, mantienen la misma dirección que la primer Apertura hacia la derecha. O sea que, durante los dos pasos, no ha habido un cambio de dirección.

The man again accompanies this step. In this example the couple maintain the same direction during the two steps.

We begin to see that the only possibility of a change of direction after an Open step, is another Open step. If we begin with an Open step to the right, the change of direction is an Open step to the left. If we begin with an Open step to the left, the change of direction is an Open step to the right.

The other two possibilities after an Open step are a Front Cross step and a Back Cross step - we can see that these steps maintain the same direction as the first Open step to the right. In other words during these two steps there is no change of direction.

C r u c e   a d e l a n t e

Analizaremos qué opciones implican un cambio de dirección y cuáles no, empezando la secuencia de dos pasos con un Cruce adelante. Veremos que existen sólo tres posibilidades de combinación para cada lado. Es decir, que podemos hacer Cruce adelante-Apertura, Cruce adelante-Cruce atrás, Cruce adelante-Cruce adelante. Estas combinaciones se duplican si entendemos que podríamos empezar la secuencia con un Cruce adelante hacia la izquierda o un Cruce adelante hacia la derecha.

Dos de estas combinaciones implican cambios de direcciones y la otra, es una secuencia de dos pasos en la misma dirección. A diferencia de cuando la secuencia de dos pasos empieza con una Apertura vemos que, con un Cruce adelante como primer paso, tenemos más opciones para realizar cambios de dirección.

Cada vez que hacemos un Cruce adelante tenemos el doble de posibilidades de hacer un cambio de dirección, que si hiciéramos una Apertura. Es decir que después de un Cruce adelante tenemos las opciones de dos cambios de direcciones o seguir en la misma dirección con una Apertura. Después de una Apertura, podemos optar entre un cambio de dirección, o seguir en la misma dirección con un Cruce adelante o con un Cruce atrás.

F r o n t   C r o s s

We'll look at which variations involve a change of direction and which do not, starting this two steps sequence with a Front Cross step. We can see there are three possibilities of combination on each side:- we can take a Front Cross - Open step, Front Cross - Back Cross, Front Cross - front Cross. These combinations are doubled if we start the sequences with a Front Cross step to the left or a Front Cross step to the right.

Two of these combinations involve changes of direction and the other is a two step sequence in the same direction. Unlike the two steps sequence beginning with an Open step, with a Front Cross step as the first step we have more possibilities for changes of direction.

Each time we take a Front Cross step we have the double the possibilities to make a change of direction, than if we had taken an Open step. In other words, after a Front Cross step we have the possibility of two changes of direction or continuing in the same direction with an Open step. After an Open step, we can choose between a change of direction or continuing in the same direction with a Front Cross step or with a Back Cross step.

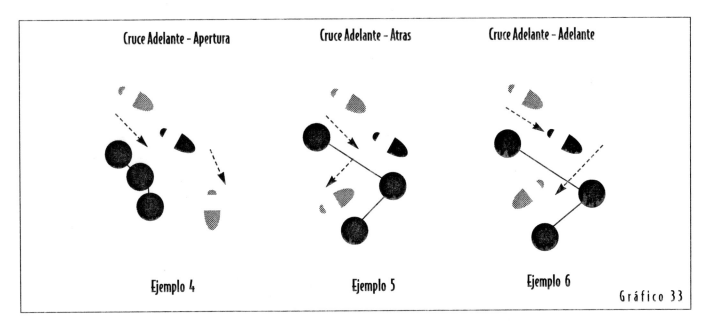

Cruce Adelante - Apertura　　**Cruce Adelante - Atras**　　**Cruce Adelante - Adelante**

Ejemplo 4　　　　　Ejemplo 5　　　　　Ejemplo 6

Gráfico 33

Ejemplo 4

El primer paso de la mujer es un Cruce adelante hacia la derecha con su pierna derecha, en este caso, avanzando en una diagonal. El hombre se traslada al mismo tiempo que la mujer en su primer paso. El segundo paso de la mujer es un Apertura con su pierna izquierda, es decir que su pierna izquierda está pasando por detrás de la derecha (mirando desde el punto de vista del hombre). Este segundo paso lo hace avanzando hacia adelante, casi en la misma diagonal. El hombre, acompaña este segundo paso al mismo tiempo que la mujer. Éste es el único ejemplo en el cual los dos pasos son en la misma dirección.

Ejemplo 5

El primer paso de la mujer es un Cruce adelante hacia la derecha con su pierna derecha, en este caso, avanzando en una diagonal. El hombre se traslada al mismo tiempo que la mujer en su primer paso. El segundo paso de la mujer es un Cruce atrás con su pierna izquierda; es decir que su pierna izquierda pasa por detrás de la derecha (mirando desde el punto de vista del hombre). Este segundo paso lo ha-

Example 4

The woman's first step is a Front Cross to the right taken with her right foot, in this case, moving forward on the diagonal.

The man moves at the same time as the woman, accompanying her first step. Her second step is an Open step with her left foot, which means that she passes her left foot behind her right (seen from the man's point of view). Her second step is made moving forward, almost on the same diagonal. The man accompanies her second step at the same time.

This is the only example in which the two steps are in the same direction.

Example 5

The woman's first step is a Front Cross to the right with her right foot, in this case, moving forward on the diagonal.

The man moves at the same time, accompanying her first step.

Her second step is a Back Cross taken with her left foot; this means she passes her left foot behind her right (seen from the man's point of view). Her second step is made moving forward, changing the diagonal.

ce avanzando hacia adelante, cambiando la diagonal. El hombre, acompaña este segundo paso al mismo tiempo que la mujer. En este ejemplo, se cambia de dirección durante los dos pasos.

Ejemplo 6

El primer paso de la mujer es un Cruce adelante hacia la derecha con su pierna derecha, avanzando en una diagonal. El hombre se traslada al mismo tiempo que la mujer en su primer paso. El segundo paso de la mujer es un Cruce adelante con su pierna izquierda, es decir que su pierna izquierda esta pasando por delante de la derecha (mirando desde el punto de vista del hombre). Este segundo paso lo hace avanzando hacia delante cambiando la diagonal. El hombre, acompaña este segundo paso al mismo tiempo que la mujer. En este ejemplo se cambia de dirección durante los dos pasos.

Cruce Atrás

Analizaremos qué opciones implican un cambio de dirección y cuáles no, empezando la secuencia de dos pasos con un Cruce atrás. Veremos que existen sólo tres posibilidades de combinación para cada lado. Es decir, que podemos hacer Cruce atrás-Apertura, Cruce atrás-Cruce atrás, Cruce atrás-Cruce adelante. Estas combinaciones se duplican si entendemos que podríamos empezar la secuencia con un Cruce atrás hacia la izquierda o un Cruce atrás hacia la derecha.

Dos de estas posibilidades implican cambios de direcciones y la otra, es una secuencia de dos pasos en la misma dirección. A diferencia de empezar la secuencia de dos pasos con una Apertura, vemos con un Cruce atrás como primer paso, tenemos más opciones para realizar cambios de dirección.

Cada vez que hacemos un Cruce atrás, tenemos el doble de posibilidades de hacer un cambio de dirección, que si hiciéramos una Apertura. Es decir que, después de un Cruce atrás, tenemos la opción de realizar dos cambios de direcciones, o de seguir en la misma dirección con una Apertura. Después de una Apertura, podemos optar entre un cambio de dirección o seguir en la misma dirección con un Cruce adelante o con un Cruce atrás. Las opciones que tenemos em-

---

The man accompanies her second step at the same time. In this example the direction does change during the two steps.

Example 6

The woman's first step is a Front Cross to the right taken with her right foot, moving forward on the diagonal.
The man moves at the same time accompanying her in her first step.
Her second step is a Front Cross taken with her left foot, which means that her left foot passes in front of her right (seen from the man's point of view).
Her second step is made moving forward, changing the diagonal. The man accompanies her second step at the same time.
In this example, the direction is changed during the two steps.

Back Cross

We'll analyze which of these variations involve a change of direction and which do not, beginning the two steps sequence with a Back Cross step. We see that there are three possibilities of combination for each side:- we can take a Back Cross - Open step, Back Cross - Back Cross, Back Cross - Front Cross. Remembering that these combinations are doubled if we start the sequence with a Back Cross step to the left or a Back Cross step to the right.

Two of these possibilities involve changes of direction, the other is a two step sequence in the same direction. Unlike the two steps sequence starting with an Open step, we see here that, with a Back Cross step as the first step, we have more possibilities for making changes of direction.

Each time we take a Back Cross step, we have the double possibilities for making a change of direction than if we had made an Open Step. This means that, after a Back Cross step we have the choice of two changes of directions or of continuing in the same direction with an Open step. After an Open step, we can choose between a change of direction or following on the same direction with a Front Cross step or with a Back Cross step. The possibilities we have when starting with a Back Cross step are the same as

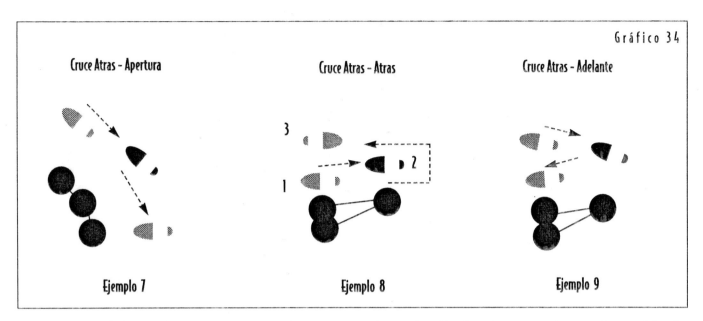

Cruce Atras - Apertura

Cruce Atras - Atras

Cruce Atras - Adelante

Ejemplo 7

Ejemplo 8

Ejemplo 9

pezando la secuencia con un Cruce atrás son la mismas que empezando con un Cruce adelante: tenemos dos cambios de dirección y un paso en la misma dirección.

Ejemplo 7

El primer paso de la mujer es un Cruce atrás hacia la derecha con su pierna derecha, en este caso, avanzando en una diagonal. El hombre se traslada al mismo tiempo que la mujer en su primer paso. El segundo paso de la mujer es un Apertura con su pierna izquierda, es decir que su pierna izquierda está pasando por delante de la derecha (mirando desde el punto de vista del hombre). Este segundo paso lo hace avanzando hacia adelante, en la misma diagonal. El hombre acompaña este segundo paso al mismo tiempo que la mujer. Este es el único ejemplo en el cual los dos pasos se realizan en la misma dirección.

Ejemplo 8

El primer paso de la mujer es un Cruce atrás hacia la derecha con su pierna derecha, en este caso, hacia un costado. El hombre se traslada al mismo tiempo que la mujer en su primer paso. El segundo pa-

when starting with a Front Cross step: we have two changes of direction and a step in the same direction.

Example 7

The woman's first step is a Back Cross to the right with her right foot, in this case, moving forward on the diagonal. The man moves at the same time accompanying her in her first step.
Her second step is an Open step with her left foot, which means that her left foot passes in front of her right (seen from the man's point of view).
Her second step is made moving forward on the same diagonal.
The man accompanies this step at the same time as the woman.
This is the only example in which the two steps are made in the same direction.

Example 8

The woman's first step is a Back Cross taken to the right with her right foot, in this case, to the side. The man accompanies the woman in her first step.
Her second step is a Back Cross taken with her left foot, this means that her

so de la mujer es un Cruce atrás con su pierna izquierda, es decir que su pierna izquierda pasa por delante de la derecha (mirando desde el punto de vista del hombre). Este segundo paso lo hace hacia el costado opuesto. El hombre, acompaña este segundo paso al mismo tiempo que la mujer. En este ejemplo, se cambia de dirección en los dos pasos.

Ejemplo 9

El primer paso de la mujer es un Cruce atrás hacia la derecha con su pierna derecha, en este caso, avanzando en una diagonal. El hombre se traslada al mismo tiempo que la mujer en su primer paso. El segundo paso de la mujer es un Cruce adelante con su pierna izquierda, es decir que su pierna izquierda pasa por delante de la derecha (mirando desde el punto de vista del hombre). Este segundo paso lo hace avanzando hacia adelante, cambiando la diagonal. El hombre, acompaña este segundo paso al mismo tiempo que la mujer.

En este ejemplo, se cambia de dirección durante los dos pasos.

Todo el análisis que hemos hecho hasta aquí debe comprenderse correctamente. Es muy importante tener un manejo holgado de la terminología que hemos utilizado hasta este punto, ya que es la estructura básica del tango. En adelante, se analizaran temas cuyo entendimiento depende exclusivamente de saber reconocer con facilidad, que es un Cruce adelante, Cruce atrás, o una Apertura, y si estamos o no cambiando de dirección.

left foot passes in front of her right (seen from the man's point of view). Her second step is taken to the opposite side. The man accompanies her second step, as before. In this example, the direction is changed between the two steps.

Example 9

The woman's first step is a Back Cross to the right taken with her right foot, in this case, moving forward on the diagonal.

The man moves at the same time accompanying the woman as she takes her first step. Her second step is a Front cross taken with her left foot, which means that her left foot passes in front of her right (seen from the man's point of view). Her second step is made moving forward, changing the diagonal. The man accompanies the woman as she takes her second step.

In this example, the direction is changed between the two steps.

All the analyses we have made until now must be well understood. It's very important to become familiar and fluent with the terminology we have used, as this terminology deals with the basic structure of the tango dance. Further on we will be looking at themes which can be understood only if the dancer knows how to recognize easily what a Front Cross step, a Back Cross step or an Open step is, and if we are changing the direction of the step or not.

Cambio de Dirección Contra Cambio de Dirección

Estos cambios de dirección en contra de otro cambio de dirección también los analizaremos en secuencias de dos pasos. La única diferencia que habrá con la sección que corresponde a dos pasos en la misma dirección es que, en esta sección, tanto el hombre como la mujer realizarán cambios de dirección simultáneos.

Analizaremos el set de posibles combinaciones de los cambios de dirección, en un sistema de direcciones Paralelo. También, en este set, la mujer toma su primer dirección siempre hacia la derecha del hom-

Changes of Direction Against Changes of Direction

We will analyze changes of direction against changes of direction in two step sequences. The only difference between this section and the section dealing with two step sequences in the same direction, is that this section will show both the man and the woman making changes of direction at the same time.

We'll analyze the set of combinations possible with changes of direction in the Parallel system of directions. Also, In this set the woman always takes her first direction to the man's right, so the man will always take his first

bre, por lo tanto la primera dirección del hombre siempre será hacia la izquierda de la mujer. Durante todas las secuencias la pareja se mantiene en un sistema de direcciones Paralelo. Es decir, si la mujer hace un paso hacia la izquierda, el hombre lo hace hacia la derecha, y si la mujer hace un paso hacia la derecha, el hombre lo hará hacia la izquierda.

Las posibilidades de cambios de dirección para cada individuo son:

Apertura - Apertura
Cruce adelante- Cruce adelante
Cruce adelante - Cruce atrás
Cruce atrás - Cruce atrás
Cruce atrás - Cruce adelante

Con estos cambios de dirección de cada individuo realizaremos todas las combinaciones posibles. Se trata de un set de 25 secuencias, si la mujer empieza el primer paso para el lado derecho, y otras 25 secuencias, si la mujer hace su primer paso para el lado izquierdo. Están incluidos los cambios de rol (lo que hace la mujer en una secuencia, lo hará luego el hombre, y lo que hacía el hombre, lo hará la mujer).

El primer cambio de dirección que se detalla con cada secuencia, corresponderá a la mujer, y el segundo al hombre.

1- Apertura - Apertura / Apertura - Apertura
2- Apertura - Apertura / Cruce adelante - Cruce adelante
3- Apertura - Apertura / Cruce adelante - Cruce atrás
4- Apertura - Apertura / Cruce atrás - Cruce atrás
5- Apertura - Apertura / Cruce atrás - Cruce adelante
6- Cruce adelante - Cruce adelante/Cruce adelante- Cruce adelante
7- Cruce adelante - Cruce adelante / Apertura - Apertura
8- Cruce adelante - Cruce adelante / Cruce adelante - Cruce atrás
9- Cruce adelante - Cruce adelante / Cruce atrás - Cruce atrás
10- Cruce adelante - Cruce adelante / Cruce atrás - Cruce adelante
11- Cruce adelante - Cruce atrás / Cruce adelante - Cruce atrás
12- Cruce adelante - Cruce atrás / Apertura - Apertura

direction to the woman's left. In all these sequences the couple work in the Parallel system of directions.
This means that when the woman takes a step to the left, the man takes a step to the right and if the woman takes a step to the right, the man takes a step to the left.

For each dancer the possible changes of direction are:

Open step - Open step
Front Cross - Front Cross
Front Cross - Back Cross
Back Cross - Back Cross
Back Cross - Front Cross

We will break down all the possible combinations with changes of direction, for each dancer. The set consists of 25 sequences if the woman takes her first step to the right side, and other 25 sequences if the woman takes her first step to the left side. Changes of role are included (the woman's steps in one sequence will be performed by the man in a later sequence, and the man's steps in one sequence will be performed by the woman in a later sequence).

The first change of direction given for each sequence will be for the woman, and the second will be for the man.

1- Open step - Open step / Open step - Open step
2- Open step - Open step / Front Cross - Front Cross
3- Open step - Open step/ Front Cross - Back Cross
4- Open step - Open step / Back Cross - Back Cross
5- Open step - Open step / Back Cross - Front Cross
6- Front Cross - Front Cross / Front Cross - Front Cross
7- Front Cross - Front Cross / Open step - Open step
8- Front Cross - Front Cross / Front Cross - Back Cross
9- Front Cross - Front Cross / Back Cross - Front Cross
10- Front Cross - Front Cross / Back Cross - Front Cross
11- Front Cross - Back Cross / Front Cross - Back Cross
12- Front Cross - Back Cross / Open step - Open step

13- Cruce adelante - Cruce atrás / Cruce adelante - Cruce adelante
14- Cruce adelante - Cruce atrás / Cruce atrás - Cruce atrás
15- Cruce adelante - Cruce atrás / Cruce atrás - Cruce adelante
16- Cruce atrás - Cruce atrás / Cruce atrás - Cruce atrás
17- Cruce atrás - Cruce atrás / Apertura - Apertura
18- Cruce atrás - Cruce atrás / Cruce adelante - Cruce adelante
19- Cruce atrás - Cruce atrás / Cruce adelante - Cruce atrás
20- Cruce atrás - Cruce atrás / Cruce atrás - Cruce adelante
21- Cruce atrás - Cruce adelante / Cruce atrás - Cruce adelante
22- Cruce atrás - Cruce adelante / Apertura - Apertura
23- Cruce atrás - Cruce adelante / Cruce adelante - Cruce adelante
24- Cruce atrás - Cruce adelante / Cruce adelante - Cruce atrás
25- Cruce atrás - Cruce adelante / Cruce atrás - Cruce atrás

Aquí comenzaremos con los ejemplos de cada una de estas secuencias de cambios de dirección.

1-Apertura - Apertura / Apertura - Apertura
2-Apertura - Apertura / Cruce adelante - Cruce adelante

Ejemplo 1

El primer paso de la mujer es una Apertura hacia la derecha del hombre y el segundo paso es una Apertura hacia la izquierda del hombre. El primer paso del hombre es una Apertura hacia la izquierda de la mujer, y el segundo paso, es una Apertura hacia la derecha de la mujer. Están en un sistema de piernas Paralelo; el primer paso la mujer lo hace con su izquierda y el hombre, con su derecha; el segundo paso de la mujer es con derecha y el del hombre, con izquierda. El sistema de direcciones es Paralelo; el primer paso de la mujer es hacia la derecha y el del hombre hacia la izquierda; el segundo paso de la mujer es hacia la izquierda y el del hombre hacia la derecha.

Ejemplo 2

El primer paso de la mujer es una Apertura hacia la derecha del hombre, y el segundo paso, una Apertura hacia la izquierda del hombre. El primer paso del hombre es un Cruce adelante hacia la izquierda, y en el segundo, el hombre rodea completamente su pierna izquierda

13- Front Cross - Back Cross / Front Cross - Front Cross
14- Front Cross - Back Cross / Back Cross - Back Cross
15- Front Cross - Back Cross / Back Cross - Front Cross
16- Back Cross - Back Cross / Back Cross- Back Cross
17- Back Cross - Back Cross / Open step - Open step
18- Back Cross - Back Cross / Front Cross - Front Cross
19- Back Cross - Back Cross / Front Cross - Back Cross
20- Back Cross - Back Cross / Back Cross - Front Cross
21- Back Cross - Front Cross / Back Cross - Front Cross
22- Back Cross - Front Cross / Open step - Open step
23- Back Cross - Front Cross / Front Cross - Front Cross
24- Back Cross - Front Cross / Front Cross - Back Cross
25- Back Cross - Front Cross / Back Cross - Back Cross

Here are the examples of each of the changes of direction sequences.

1-Open step - Open step / Open step - Open step
2-Open step - Open step / Front Cross - Front Cross

Example 1

The woman's first step is an Open step to the man's right and her second step is an Open step to the man's left.
The man's first step is an Open step to the woman's left, and his second step is an Open step to the woman's right.
They are in the Parallel legs system; the woman takes her first step with her left foot and the man takes his first with his right foot; the woman's second step is with right foot and the man's is with the left foot. They are working in the Parallel system of directions; the woman's first step is to the right, and the man's is to the left; her second step is to the left, and the man's is to the right.

Example 2

The woman's first step is an Open step to the man's right, and her second step is an Open step to the man's left. The man's first step is a Front Cross to the left, and with his second step he circles his left foot to take a Front Cross step with his right foot.

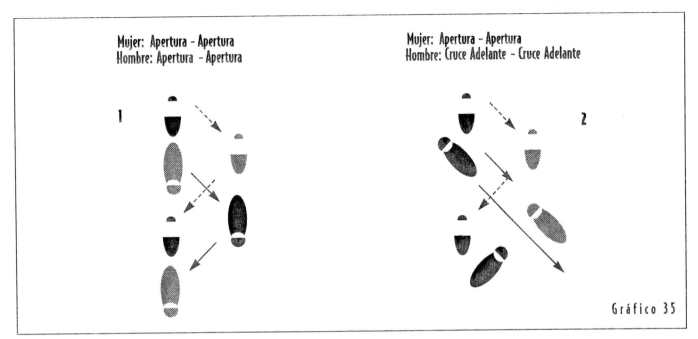

Mujer: Apertura - Apertura
Hombre: Apertura - Apertura

1

Mujer: Apertura - Apertura
Hombre: Cruce Adelante - Cruce Adelante

2

Gráfico 35

para hacer un Cruce adelante con su pierna derecha. Están en un sistema de piernas Cruzado; tanto la mujer como el hombre hacen el primer paso con su izquierda y el segundo, con derecha. El sistema de direcciones es Paralelo; el primer paso de la mujer es hacia la derecha y el del hombre, hacia la izquierda; el segundo paso de la mujer es hacia la izquierda y el del hombre hacia la derecha.

3-Apertura - Apertura / Cruce adelante - Cruce atrás
4-Apertura - Apertura / Cruce atrás - Cruce atrás

Ejemplo 3

El primer paso de la mujer es una Apertura hacia la derecha del hombre, y el segundo paso una Apertura hacia la izquierda del hombre. El primer paso del hombre es un Cruce adelante hacia la izquierda de la mujer, y el segundo, un Cruce atrás hacia la derecha de la mujer. Están en un sistema de piernas Cruzado; el primer paso la mujer lo hace con su izquierda y el hombre, también; el segundo paso lo dan ambos con la derecha.

They are in the Cross legs system; both dancers take their first step with their left foot and their second step with their right foot.
They are in the Parallel system of directions; the woman's the first step is to the right and the man's is to the left; her second step is to the left, and the man's is to the right.

3-Open step - Open step / Front Cross - Back Cross
4-Open step - Open step / Back Cross - Back Cross

Example 3

The woman's first step is an Open step to the man's right, and her second step is an Open step to the man's left. The man's first step is a Front Cross to the woman's left and his second is a Back Cross step to the woman's right. They are in the Cross legs system; both the woman and the man take their first step with the left foot and their second step with the right foot. They are in the Parallel system of directions; the woman's first step is to the

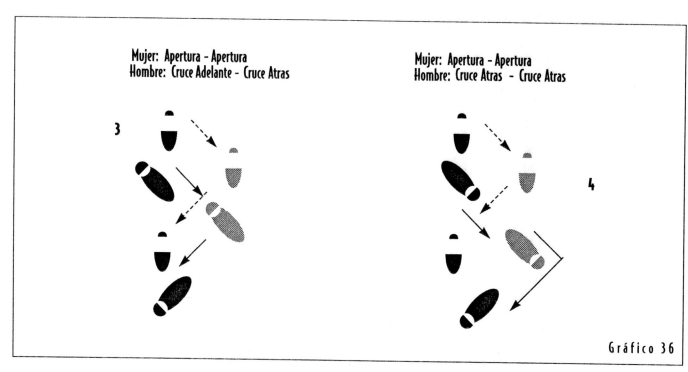

Mujer: Apertura - Apertura
Hombre: Cruce Adelante - Cruce Atras

Mujer: Apertura - Apertura
Hombre: Cruce Atras - Cruce Atras

Gráfico 36

El sistema de direcciones es Paralelo; el primer paso de la mujer es hacia la derecha y el del hombre, hacia la izquierda,; el segundo paso de la mujer es hacia la izquierda y el del hombre hacia la derecha.

Ejemplo 4

El primer paso de la mujer es una Apertura hacia la derecha del hombre, y el segundo, una Apertura hacia la izquierda del hombre. El primer paso del hombre es un Cruce atrás hacia la izquierda, y en el segundo, el hombre pasa su pierna derecha por delante de la izquierda (desde el punto de vista de la mujer) para hacer un Cruce atrás hacia la derecha. Están en un sistema de piernas Cruzado; el primer paso del hombre y la mujer lo hacen con su izquierda; y el segundo paso de ambos, con la derecha. El sistema de direcciones es Paralelo; el primer paso de la mujer es hacia la derecha y el del hombre, hacia la izquierda; el segundo paso de la mujer es hacia la izquierda, y el del hombre, hacia la derecha.

right and the man's is to the left; the woman's second step is to the left and the man's is to the right.

Example 4

The woman's first step is an Open step to the man's right, and her second step is an Open step to the man's left.

The man's first step is a Back Cross to the left, and with his second step, the man passes his right leg in front of his left (from the woman's point of view) to take a Back Cross step to the right.

They are in the Cross legs system; the couple take their first step with their left foot and their second step with the right.

They are in the Parallel system of directions; the woman's first step is to the right and the man's first step is to the left; her second step is to the left, and his second step is to the right.

5- Apertura - Apertura / Cruce atrás - Cruce adelante
6-Cruce adelante - Cruce adelante / Cruce adelante - Cruce adelante

Ejemplo 5

El primer paso de la mujer es una Apertura hacia la derecha del hombre, y el segundo paso, una Apertura hacia la izquierda del hombre. El primer paso del hombre es un Cruce atrás hacia la izquierda, y en el segundo, el hombre pasa su pierna derecha por delante de la izquierda (desde el punto de vista de la mujer) para hacer un Cruce adelante hacia la derecha. Están en un sistema de piernas Cruzado; el primer paso la mujer lo hace con su izquierda y el hombre, con su izquierda; el segundo paso de la mujer es con derecha y el hombre, también. El sistema de direcciones es Paralelo; el primer paso de la mujer es hacia la derecha y el del hombre hacia la izquierda, el segundo paso de la mujer es hacia la izquierda y el del hombre, hacia la derecha.

5- Open step - Open step / Back Cross - Front Cross
6-Front Cross - Front Cross / Front Cross - Front Cross

Example 5

The woman's first step is an Open step to the man's right, and her second step is an Open step to the man's left.

The man's first step is a Back Cross to the left, and in his second, he passes his right foot in front of his left (from the woman's point of view) to take a Front Cross step to the right.

They are in the Cross legs system; the woman's the first step is with her right foot and the man's is with his left; the woman's second step is with the right foot and the man's is also with the right foot.

They are in the Parallel system of directions, her first step is to the right, and his first step is to the left; her second step is to the left, and his second step is to the right.

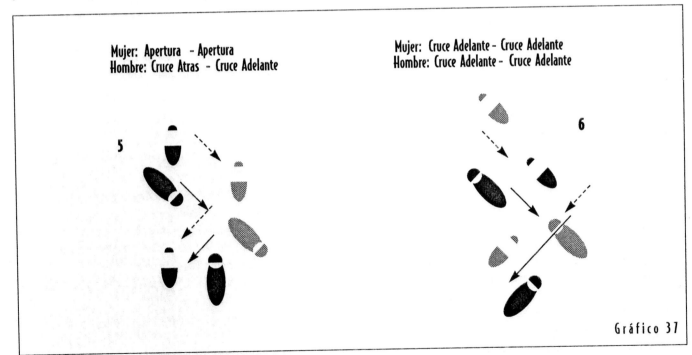

Mujer: Apertura - Apertura
Hombre: Cruce Atras - Cruce Adelante

Mujer: Cruce Adelante - Cruce Adelante
Hombre: Cruce Adelante - Cruce Adelante

Gráfico 37

El primer paso de la mujer es un Cruce adelante hacia la derecha del hombre, y el segundo, un Cruce adelante hacia la izquierda del hombre. El primer paso del hombre es un Cruce adelante hacia la izquierda de la mujer, luego su pierna derecha rodea completamente la izquierda para hacer un Cruce adelante hacia la derecha de la mujer.

Están en un sistema de piernas Paralelo; el primer paso la mujer lo hace con su derecha y el hombre con su izquierda; el segundo paso de la mujer es con izquierda y el del hombre, con derecha. El sistema de direcciones es Paralelo; el primer paso de la mujer es hacia la derecha y el del hombre, hacia la izquierda; el segundo paso de la mujer es hacia la izquierda y el del hombre, hacia la derecha.

7-Cruce adelante - Cruce adelante / Apertura - Apertura
8-Cruce adelante - Cruce adelante / Cruce adelante - Cruce atrás

Example 6

The woman's first step is a Front Cross to the man's right, and her second step is a Front Cross to the man's left. The man's first step is a Front Cross to the woman's left, he then encircles his left foot with the right to take a Front Cross step to the woman's right.

They are in the Parallel legs system; the woman's first step is with her right foot and the man's is with his left; her second step is with the left and the man's one is with his right.
They are in the Parallel system of directions; the woman's first step is to the right and the man's first step is to the left; her second step is to the left, and the man's is to the right.

7-Front Cross - Front Cross / Open step - Open step
8-Front Cross - Front Cross / Front Cross - Back Cross

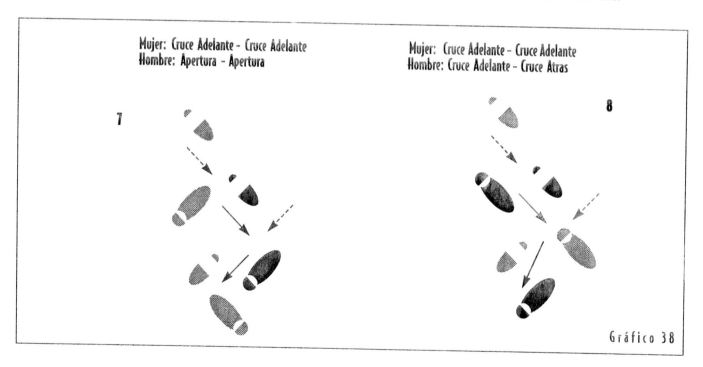

Mujer: Cruce Adelante - Cruce Adelante
Hombre: Apertura - Apertura

Mujer: Cruce Adelante - Cruce Adelante
Hombre: Cruce Adelante - Cruce Atras

7

8

Gráfico 38

Ejemplo 7

El primer paso de la mujer es un Cruce adelante hacia la derecha del hombre, y el segundo paso, un Cruce adelante hacia la izquierda del hombre. El primer paso del hombre es una Apertura hacia la izquierda, y en el segundo, el hombre pasa su pierna izquierda por delante de la derecha (desde el punto de vista de la mujer) para hacer una Apertura hacia la derecha. Están en un sistema de piernas Cruzado, el primer paso la mujer lo hace con su derecha y el hombre, también; el segundo paso de la mujer es con izquierda y el hombre, también. El sistema de direcciones es Paralelo; el primer paso de la mujer es hacia la derecha y el del hombre hacia la izquierda, el segundo paso de la mujer es hacia la izquierda y el del hombre, hacia la derecha.

Ejemplo 8

El primer paso de la mujer es un Cruce adelante hacia la derecha del hombre, y el segundo, un Cruce adelante hacia la izquierda del hombre. El primer paso del hombre es un Cruce adelante hacia la izquierda de la mujer, luego su pierna derecha pasa por delante de la izquierda para hacer un Cruce atrás hacia la derecha de la mujer. Están en un sistema de piernas Paralelo, el primer paso la mujer lo hace con su derecha y el hombre, con su izquierda; el segundo paso de la mujer es con izquierda y el del hombre, con derecha. El sistema de direcciones es Paralelo; el primer paso de la mujer es hacia la derecha y el del hombre, hacia la izquierda; el segundo paso de la mujer es hacia la izquierda y el del hombre, hacia la derecha.

9-Cruce adelante - Cruce adelante / Cruce atrás - Cruce atrás
10- Cruce adelante - Cruce adelante / Cruce atrás - Cruce adelante

Ejemplo 9

El primer paso de la mujer es un Cruce adelante hacia la derecha del hombre, y el segundo, un Cruce adelante hacia la izquierda del hombre. El primer paso del hombre es un Cruce atrás hacia la izquierda, y en el segundo, el hombre pasa su pierna derecha por detrás de la izquierda (desde el punto de vista de la mujer) para hacer un Cruce atrás hacia la derecha. Están en un sistema de piernas Paralelo; el pri-

Example 7

The woman's first step is a Front Cross to the man's right, her second step is a Front Cross to the man's left.

The man's first step is an Open step to the left, and with his second step he passes his left foot in front of his right (from the woman's point of view) to take an Open step to the right.

They are in the Cross legs system, the couple take their first step with their right foot and their second step with their left foot.

They are in the Parallel system of directions; the woman's first step is to the right and the man's is to the left, her second step is to the left and his second step is to the right.

Example 8

The woman's first step is a Front Cross to the man's right, and her second step is a Front Cross to the man's left.

The man's first step is a Front Cross to the woman's left, then he passes his right foot in front of his left to take a Back Cross step to the woman's right.

They are in the Parallel legs system, the woman takes her first step with her right foot and the man takes his first step with his left; she takes her second step with the left foot and the man takes his second step with the right.

They are in the Parallel system of directions, The woman's first step is to the right, and the man's first step is to the left; the woman's second step is to the left and the man's is to the right.

9-Front Cross - Front Cross / Back Cross - Back Cross
10- Front Cross - Front Cross / Back Cross - Front Cross

Example 9

The woman's first step is a Front Cross to the man's right, and her second step is a Front Cross to the man's left. The man's first step is as Back Cross to the left, and with his second step he passes his right foot behind his left (from the woman's point of view) to take a Back Cross step to the right. They are in the Parallel legs system; the woman takes her first step with her right foot, and the man takes his first step with his left; her second step is

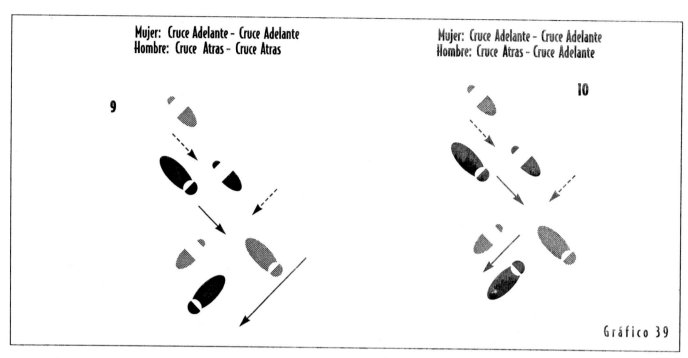

Mujer: Cruce Adelante - Cruce Adelante
Hombre: Cruce Atras - Cruce Atras

9

Mujer: Cruce Adelante - Cruce Adelante
Hombre: Cruce Atras - Cruce Adelante

10

Gráfico 39

mer paso la mujer lo hace con su derecha y el hombre, con su izquierda; el segundo paso de la mujer es con izquierda y el del hombre, con derecha. El sistema de direcciones es Paralelo; el primer paso de la mujer es hacia la derecha y el del hombre, hacia la izquierda; el segundo paso de la mujer es hacia la izquierda y el del hombre, hacia la derecha.

Ejemplo 10

El primer paso de la mujer es un Cruce adelante hacia la derecha del hombre, y el segundo, un Cruce adelante hacia la izquierda del hombre. El primer paso del hombre es un Cruce atrás hacia la izquierda de la mujer, luego su pierna derecha pasa por delante de la izquierda, para hacer un Cruce adelante hacia la derecha de la mujer. Están en un sistema de piernas Paralelo; el primer paso la mujer lo hace con su derecha y el hombre, con su izquierda; el segundo paso de la mujer es con izquierda y el del hombre, con derecha. El sistema de direcciones es Paralelo; el primer paso de la

taken with the left foot and the man's second step is taken with the right. They are working in the Parallel system of directions; the woman's first step is to the right and the man's is to the left; her second step is to the left, and the man's is to the right.

Example 10

The woman's first step is a Front Cross to the man's right, and her second step is a Front Cross to the man's left.

The man's first step is a Back Cross to the woman's left, then he passes his right foot in front of his left, to take a Front Cross step to the woman's right.

They are in the Parallel legs system; the woman takes her first step with her right foot, and the man takes his first step with his left; her second step is to the left, and the man's is to the right.

mujer es hacia la derecha y el del hombre, hacia la izquierda; el segundo paso de la mujer es hacia la izquierda y el del hombre, hacia la derecha.

11- Cruce adelante - Cruce atrás / Cruce adelante - Cruce atrás
12- Cruce adelante - Cruce atrás / Apertura - Apertura

Ejemplo 11

El primer paso de la mujer es un Cruce adelante hacia la derecha del hombre, y el segundo, un Cruce atrás hacia la izquierda del hombre.

El primer paso del hombre es un Cruce adelante hacia la izquierda, y el segundo, un Cruce atrás hacia la derecha.

Están en un sistema de piernas Paralelo; el primer paso la mujer lo hace con su derecha y el hombre, con su izquierda; el segundo paso de la mujer es con izquierda y el del hombre, con derecha.

They are working in the Parallel system of directions, the woman's first step is to the right, and the man's first step is to the left; her second step is to the left while the man's is to the right.

11- Front Cross - Back Cross / Front Cross - Back Cross
12- Front Cross - Back Cross / Open step - Open step

Example 11

The woman's first step is a Front Cross to the man's right, and her second step is a Back Cross to the man's left.

The man's first step is a Front Cross to the left, and his second step is a Back Cross to the right.

They are in the Parallel legs system; the woman takes her first step with her right foot, and the man takes his first step with his left; her second step is with the left foot and the man's is with the right.

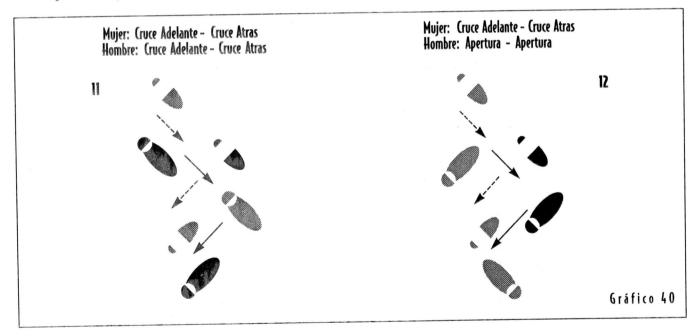

Mujer: Cruce Adelante - Cruce Atras
Hombre: Cruce Adelante - Cruce Atras

11

Mujer: Cruce Adelante - Cruce Atras
Hombre: Apertura - Apertura

12

Gráfico 40

El sistema de direcciones es Paralelo; el primer paso de la mujer es hacia la derecha y el del hombre hacia la izquierda; el segundo paso de la mujer es hacia la izquierda y el del hombre, hacia la derecha.

Ejemplo 12

El primer paso de la mujer es un Cruce adelante hacia la derecha del hombre, y el segundo, un Cruce atrás hacia la izquierda del hombre. El primer paso del hombre es una Apertura hacia la izquierda de la mujer, luego una Apertura hacia la derecha de la mujer. Están en un sistema de piernas Cruzado; el primer paso la mujer lo hace con su derecha y el hombre, con su derecha; el segundo paso de la mujer es con izquierda y el hombre, también. El sistema de direcciones es Paralelo; el primer paso de la mujer es hacia la derecha y el del hombre hacia la izquierda; el segundo paso de la mujer es hacia la izquierda y el del hombre, hacia la derecha.

13- Cruce adelante - Cruce atrás / Cruce adelante - Cruce adelante
14- Cruce adelante - Cruce atrás / Cruce atrás - Cruce atrás

Ejemplo 13

El primer paso de la mujer es un Cruce adelante hacia la derecha del hombre, y el segundo, un Cruce atrás hacia la izquierda del hombre. El primer paso del hombre es un Cruce adelante hacia la izquierda, y el segundo, un Cruce adelante hacia la derecha. Están en un sistema de piernas Paralelo; el primer paso la mujer lo hace con su derecha y el hombre, con su izquierda; el segundo paso de la mujer es con izquierda y el del hombre, con derecha. El sistema de direcciones es Paralelo; el primer paso de la mujer es hacia la derecha y el del hombre, hacia la izquierda; el segundo paso de la mujer es hacia la izquierda y el del hombre, hacia la derecha.

Ejemplo 14

El primer paso de la mujer es un Cruce adelante hacia la derecha del hombre, y el segundo, un Cruce atrás hacia la izquierda del hombre. El primer paso del hombre es un Cruce atrás hacia la izquierda de la mujer, luego la pierna derecha rodea la pierna izquierda por fuera para hacer un Cruce atrás hacia la derecha de la mujer. Están en un sistema de piernas Paralelo; el primer paso la mujer lo hace con su derecha y el hombre, con su

---

They are working in the Parallel system of directions; the woman's first step is to the right and the man's is to the left; her second step is to the left, and the man's is to the right.

Example 12

The woman's first step is a Front Cross to the man's right, and her second is a Back Cross step to the man's left.
His first step is an Open step to the woman's left, he then takes an Open step to the woman's right.
They are in the Cross legs system; both dancers take their first step with the right foot and their second step with the left foot.
They are in the Parallel system of directions; the woman's first step is to the right and the man's is to the left; her second step is to the left, and his second step is to the right.

13- Front Cross - Back Cross / Front Cross - Front Cross
14- Front Cross - Back Cross / Back Cross - Back Cross

Example 13

The woman's first step is a Front Cross to the man's right, and her second step is a Back Cross to the man's left. The man's first step is a Front Cross to the left, and his second step is a Front Cross to the right. They are in the Parallel legs system; the woman takes her first step with her right foot, and the man takes his first step with his left; her second step is with the left and his second step is with the right. They are working in the Parallel system of directions; the woman's first step is to the right and the man's first step is to the left; her second step is to the left and the man's second step is to the right.

Example 14

The woman's first step is a Front Cross to the man's right, and her second is a Back Cross step to the man's left. The man's first step is a Back Cross to the woman's left, he then circles his right foot outside, around his left foot, to take a Back Cross step to the woman's right. They are in the Parallel legs system; the woman takes her first step with her right foot and the man takes his first step with his left, her second step is with the

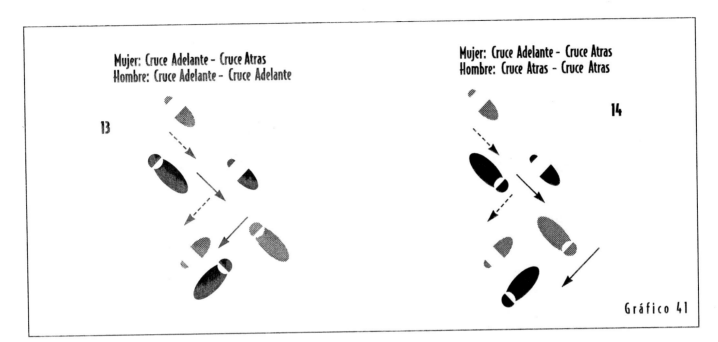

Mujer: Cruce Adelante - Cruce Atras
Hombre: Cruce Adelante - Cruce Adelante

13

Mujer: Cruce Adelante - Cruce Atras
Hombre: Cruce Atras - Cruce Atras

14

Gráfico 41

izquierda; el segundo paso de la mujer es con izquierda y el del hombre con derecha. El sistema de direcciones es Paralelo; el primer paso de la mujer es hacia la derecha y el del hombre hacia la izquierda, el segundo paso de la mujer es hacia la izquierda y el del hombre, hacia la derecha.

15- Cruce adelante - Cruce atrás / Cruce atrás - Cruce adelante
16- Cruce atrás - Cruce atrás / Cruce atrás - Cruce atrás

Ejemplo 15

El primer paso de la mujer es un Cruce adelante hacia la derecha del hombre, y el segundo un Cruce atrás hacia la izquierda del hombre. El primer paso del hombre es un Cruce atrás hacia la izquierda, y el segundo, un Cruce adelante hacia la derecha. Están en un sistema de piernas Paralelo; el primer paso la mujer lo hace con su derecha y el hombre, con su izquierda; el segundo paso de la mujer es con izquierda y el del hombre, con derecha. El sistema de direcciones es Paralelo; el primer paso de la mujer es hacia la derecha y el del hombre, hacia la izquierda, el segundo

left and the man's is with right.
They are in the Parallel system of directions; the woman's first step is to the right and the man's is to the left, her second step is to the left and the man's is to the right.

15- Front Cross - Back Cross / Back Cross - Front Cross
16- Back Cross - Back Cross / Back Cross - Back Cross

Example 15

The woman's first step is a Front Cross to the man's right, and her second step is a Back Cross to the man's left.

The man's first step is a Back Cross to the left, and his second step is a Front Cross to the right.

They are in the Parallel legs system; the woman takes her first step with her right foot and the man takes his first step with his left; her second step is to

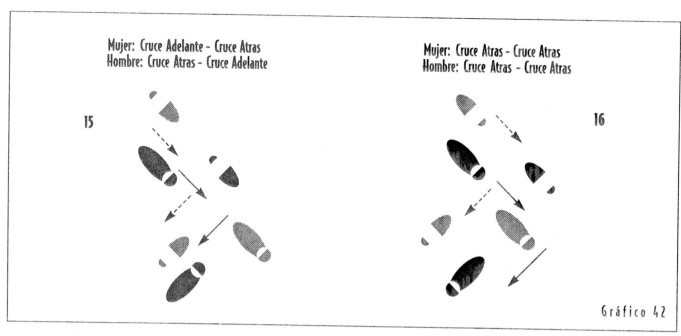

Mujer: Cruce Adelante - Cruce Atras
Hombre: Cruce Atras - Cruce Adelante

15

Mujer: Cruce Atras - Cruce Atras
Hombre: Cruce Atras - Cruce Atras

16

Gráfico 42

paso de la mujer es hacia la izquierda y el del hombre, hacia la derecha.

Ejemplo 16

El primer paso de la mujer es un Cruce atrás hacia la derecha del hombre, y el segundo, un Cruce atrás hacia la izquierda del hombre. El primer paso del hombre es un Cruce atrás hacia la izquierda de la mujer, luego la pierna derecha pasa por detrás de la izquierda para hacer un Cruce atrás hacia la derecha de la mujer. Están en un sistema de piernas Paralelo; el primer paso la mujer lo hace con su derecha y el hombre, con su izquierda; el segundo paso de la mujer es con izquierda y el del hombre, con derecha. El sistema de direcciones es Paralelo; el primer paso de la mujer es hacia la derecha y el del hombre hacia la izquierda, el segundo paso de la mujer es hacia la izquierda y el del hombre, hacia la derecha.

17- Cruce atrás - Cruce atrás / Apertura - Apertura
18- Cruce atrás - Cruce atrás / Cruce adelante - Cruce adelante

the left and the man's is to the right.

Example 16

The woman's first step is a Back Cross to the man's right, and her second step is a Back Cross to the man's left.
The man's first step is a Back Cross to the woman's left, he then passes his right leg behind his left to take a Back Cross step to the woman's right.
They are in the Parallel legs system; the woman takes her first step with her right foot, and the man takes his first step with his left; her second step is with the left foot and the man's second step is with the right.

They are in the Parallel system of directions; the woman's first step is to the right and the man's is to the left, her second step is to the left and the man's is to the right.

17- Back Cross - Back Cross / Open step - Open step
18- Back Cross - Back Cross / Front Cross - Front Cross

El primer paso de la mujer es un Cruce atrás hacia la derecha del hombre, y el segundo, un Cruce atrás hacia la izquierda del hombre. El primer paso del hombre es una Apertura hacia la izquierda, y en el segundo, la pierna izquierda pasa por delante de la derecha para hacer una Apertura hacia la derecha. Están en un sistema de piernas Cruzado; tanto la mujer como el hombre hacen el primer paso con su derecha y el segundo, con la izquierda. El sistema de direcciones es Paralelo; el primer paso de la mujer es hacia la derecha y el del hombre, hacia la izquierda; el segundo paso de la mujer es hacia la izquierda y el del hombre, hacia la derecha.

Ejemplo 18

El primer paso de la mujer es un Cruce atrás hacia la derecha del hombre, y el segundo, un Cruce atrás hacia la izquierda del hombre. El primer paso del hombre es un Cruce adelante hacia la izquierda de la mujer, luego la pierna derecha rodea la pierna izquierda por fuera para hacer un Cruce adelante hacia la derecha de la mujer. Están en un sistema de piernas Paralelo; el primer paso la mujer lo hace con su derecha y el hombre, con su izquierda; el segundo paso de la mujer es con izquierda y el del

Example 17

The woman's first step is a Back Cross to the man's right, and her second step is a Back Cross to the man's left. The man's first step is an Open step to the left and with his second step he passes his left foot in front of the right to take an Open step to the right.

They are in the Cross legs system; both dancers take their first step with the right foot and their second step with the left.

They are working in the Parallel system of directions; the woman's first step is to the right, and the man's is to the left; her second step is to the left and the man's is to the right.

Example 18

The woman's first step is a Back Cross to the man's right, and her second step is a Back Cross to the man's left. The man's first step is a Front Cross to the woman's left, he then brings right foot, outside, around his left, to take a Front Cross step to the woman's right. They are in the Parallel legs system; the woman takes her first step with her right foot, and the man takes his first step with his left; her second step is with the left, and the man's is with the right.

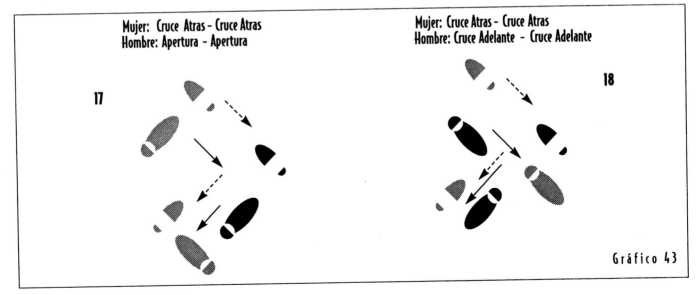

Mujer: *Cruce Atras - Cruce Atras*
Hombre: *Apertura - Apertura*

Mujer: *Cruce Atras - Cruce Atras*
Hombre: *Cruce Adelante - Cruce Adelante*

17

18

Gráfico 43

hombre, con derecha. El sistema es Paralelo; el primer paso de la mujer es hacia la derecha y el del hombre, hacia la izquierda, el segundo paso de la mujer es hacia la izquierda y el del hombre, hacia la derecha.

19- Cruce atrás - Cruce atrás / Cruce adelante - Cruce atrás
20- Cruce atrás - Cruce atrás / Cruce atrás - Cruce adelante

They are working in the Parallel system of directions, the woman's first step is to the right and the man's is to the left, her second step is to the left and the man's second step is to the right.

19- Back Cross - Back Cross / Front Cross - Back Cross
20- Back Cross - Back Cross / Back Cross - Front Cross

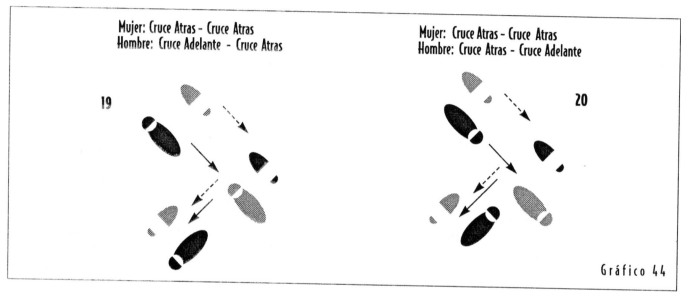

Mujer: Cruce Atras - Cruce Atras
Hombre: Cruce Adelante - Cruce Atras

19

Mujer: Cruce Atras - Cruce Atras
Hombre: Cruce Atras - Cruce Adelante

20

Gráfico 44

Ejemplo 19

El primer paso de la mujer es un Cruce atrás hacia la derecha del hombre, y el segundo, un Cruce atrás hacia la izquierda del hombre. El primer paso del hombre es un Cruce adelante hacia la izquierda, y en el segundo, la pierna derecha pasa por detrás de la izquierda para hacer un Cruce atrás hacia la derecha. Están en un sistema de piernas Paralelo; el primer paso la mujer lo hace con su derecha y el hombre, con su izquierda; el segundo paso de la mujer es con izquierda y el del hombre, con derecha. El sistema de direcciones es Paralelo; el primer paso de la mujer es hacia la derecha y el del hombre, hacia la izquierda; el segundo paso de la mujer es hacia la izquierda y el hombre, hacia la derecha.

Example 19

The woman's first step is a Back Cross to the man's right, and her second is a Back Cross step to the man's left.
The man's first step is a Front Cross to the left and with his second step he passes his right foot behind his left to take a Back Cross step to the right. They are in the Parallel legs system; the woman takes her first step with her right foot and the man takes his first step with his left; her second step is with left foot and the man's is with right.

They are in the Parallel system of directions; the woman's first step is to the right, and the man's first step is to the left; her second step is to the left and the man's is to the right.

Ejemplo 20

El primer paso de la mujer es un Cruce atrás hacia la derecha del hombre, y el segundo, un Cruce atrás hacia la izquierda del hombre. El primer paso del hombre es un Cruce atrás hacia la izquierda de la mujer, luego la pierna derecha pasa por delante de la pierna izquierda para hacer un Cruce adelante hacia la derecha de la mujer. Están en un sistema de piernas Paralelo; el primer paso la mujer lo hace con su derecha y el hombre, con su izquierda; el segundo paso de la mujer es con izquierda y el del hombre, con derecha. El sistema de direcciones es Paralelo; el primer paso de la mujer es hacia la derecha y el del hombre, hacia la izquierda; el segundo paso de la mujer es hacia la izquierda y el del hombre, hacia la derecha.

21- Cruce atrás - Cruce adelante / Cruce atrás - Cruce adelante
22- Cruce atrás - Cruce adelante / Apertura - Apertura

Ejemplo 21

El primer paso de la mujer es un Cruce atrás hacia la derecha del hombre, y el segundo, un Cruce adelante hacia la izquierda del hombre. El primer paso del hombre es un Cruce atrás hacia la izquierda, y en el segundo, la pierna derecha pasa por delante de la izquierda para hacer un Cruce adelante hacia la derecha. Están en un sistema de piernas Paralelo; el primer paso la mujer lo hace con su derecha y el hombre, con su izquierda; el segundo paso de la mujer es con izquierda y el del hombre, con derecha. El sistema de direcciones es Paralelo; el primer paso de la mujer es hacia la derecha y el del hombre, hacia la izquierda; el segundo paso de la mujer es hacia la izquierda y el del hombre, hacia la derecha.

Ejemplo 22

El primer paso de la mujer es un Cruce atrás hacia la derecha del hombre, y el segundo, un Cruce adelante hacia la izquierda del hombre. El primer paso del hombre es una Apertura hacia la izquierda de la mujer, luego la pierna izquierda pasa por delante de la pierna derecha para hacer una Apertura hacia la derecha de la mujer. Están en un sistema de piernas Cruzado; el primer paso tanto la mujer como

Example 20

The woman's first step is a Back Cross to the man's right, and her second step is a Back Cross to the man's left.

The man's first step is a Back Cross to the woman's left, he then passes his right foot in front of the left to take a Front Cross step to the woman's right. They are in the Parallel legs system; the woman takes her first step with her right foot, and the man takes his first step with his left; her second step is with her left foot and the man's is with his right.

They are working in the Parallel system of directions; the woman's first step is to the right and the man's is to the left; her second step is to the left and the man's is to the right.

21- Back Cross - Front Cross / Back Cross - Front Cross
22- Back Cross - Front Cross / Open step - Open step

Example 21

The woman's first step is a Back Cross to the man's right, and her second step is a Front Cross to the man's left.

The man's first step is a Back Cross to the left, and with his second step he passes his right foot in front of the left to take a Front Cross to the right. They are in the Parallel legs system; the woman takes her first step with her right foot, and the man takes his first step with his left; her second step is with the left foot, and the man's is with the right.

They are in the Parallel system of directions; the woman's first step is to the right, and the man's is to the left; her second step is to the left and the man's second step is to the right.

Example 22

The woman's first step is a Back Cross to the man's right, and her second step is a Front Cross to the man's left.

The man's first step is an Open step to the woman's left, he then passes his left foot in front of the right to take an Open step to the woman's right. They are in the Cross legs system; both dancers take their first step with the right foot and their second step with the left.

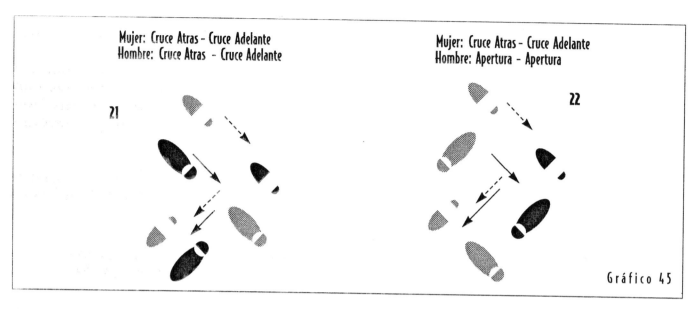

Mujer: *Cruce Atras - Cruce Adelante*
Hombre: *Cruce Atras - Cruce Adelante*

21

Mujer: *Cruce Atras - Cruce Adelante*
Hombre: *Apertura - Apertura*

22

Gráfico 45

el hombre lo hacen con la derecha y, el segundo, con la izquierda. El sistema de direcciones es Paralelo; el primer paso de la mujer es hacia la derecha y el del hombre, hacia la izquierda; el segundo paso de la mujer es hacia la izquierda y el del hombre, hacia la derecha.

23- Cruce atrás - Cruce adelante / Cruce adelante - Cruce adelante
24- Cruce atrás - Cruce adelante / Cruce adelante - Cruce atrás

Ejemplo 23

El primer paso de la mujer es un Cruce atrás hacia la derecha del hombre, y el segundo, un Cruce adelante hacia la izquierda del hombre. El primer paso del hombre es un Cruce adelante hacia la izquierda, y en el segundo, la pierna derecha rodea completamente la pierna izquierda para hacer un Cruce adelante hacia la derecha. Están en un sistema de piernas Paralelo; el primer paso la mujer lo hace con su derecha y el hombre, con su izquierda; el segundo paso de la mujer es con izquierda y el del hombre, con derecha. El sistema de direcciones es Paralelo; el primer paso de la mujer es hacia la derecha y el del hombre, hacia la izquierda, el segundo paso de la mujer es hacia la izquierda y el del hombre, hacia la derecha.

They are working in the Parallel system of directions; the woman's first step is to the right and the man's is to the left; her second step is to the left and the man's is to the right.

23- Back Cross - Front Cross / Front Cross - Front Cross
24- Back Cross - Front Cross / Front Cross - Back Cross

Example 23

The woman's first step is a Back Cross to the man's right, and her second step is a Front Cross to the man's left.
The man's first step is a Front Cross to the left, and with his second step he encircles his left foot with his right to take a Front Cross to the right.
They are in the Parallel legs system; the woman takes her first step with her right foot and the man takes his first step with his left, her second step is with left foot and the man's is with the right.
They are working in the Parallel system of directions; the woman's first step is to the right, and the man's is to the left, her second step is to the left and the man's is to the right.

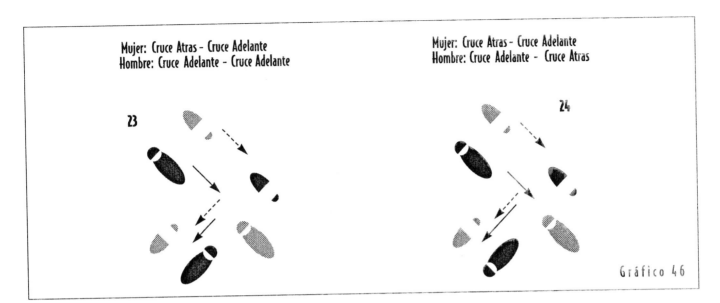

Mujer: *Cruce Atras - Cruce Adelante*
Hombre: *Cruce Adelante - Cruce Adelante*

Mujer: *Cruce Atras - Cruce Adelante*
Hombre: *Cruce Adelante - Cruce Atras*

Gráfico 46

Ejemplo 24

El primer paso de la mujer es un Cruce atrás hacia la derecha del hombre, y el segundo, un Cruce adelante hacia la izquierda del hombre. El primer paso del hombre es un Cruce adelante hacia la izquierda, y el segundo, un Cruce atrás hacia la derecha. Están en un sistema de piernas Paralelo, el primer paso la mujer lo hace con su derecha y el hombre, con su izquierda; el segundo paso de la mujer es con izquierda y el del hombre, con derecha. El sistema de direcciones es Paralelo; el primer paso de la mujer es hacia la derecha y el del hombre, hacia la izquierda; el segundo paso de la mujer es hacia la izquierda y el del hombre, hacia la derecha.

25- Cruce atrás - Cruce adelante / Cruce atrás - Cruce atrás

Ejemplo 25

El primer paso de la mujer es un Cruce atrás hacia la derecha del hombre, y el segundo, un Cruce adelante hacia la izquierda del hombre. El primer paso del hombre es un Cruce atrás hacia la izquierda, y el segundo, un Cruce atrás hacia la derecha. Están en un sistema de piernas Paralelo;

Example 24

The woman's first step is a Back Cross to the man's right, and her second step is a Front Cross to the man's left.
The man's first step is a Front Cross to the left, and his second is a Back Cross step to the right.
They are in the Parallel legs system, the woman takes her first step with her right foot, and the man takes his first step with his left; her second step is with left foot, and the man's is with right.
They are in the Parallel system of directions; the woman's first step is to the right and the man's first step is to the left; her second step is to the left, and the man's is to the right.

25- Back Cross - Front Cross / Back Cross - Back Cross

Example 25

The woman's first step is a Back Cross to the man's right, and her second step is a Front Cross to the man's left.
The man's first step is a Back Cross to the left, and his second is a Back Cross step to the right.

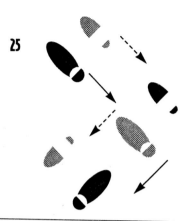

Mujer: Cruce Atras - Cruce Adelante
Hombre: Cruce Atras - Cruce Atras

25

el primer paso la mujer lo hace con su derecha y el hombre, con su izquierda; el segundo paso de la mujer es con izquierda y el del hombre, con derecha. El sistema de direcciones es Paralelo; el primer paso de la mujer es hacia la derecha y el del hombre, hacia la izquierda, el segundo paso de la mujer es hacia la izquierda y el del hombre, hacia la derecha.

They are in the Parallel legs system; the woman takes her first step with her right foot, and the man takes his first step with his left; her second step is with the left foot, and his second step is with the right.

Rotación en los Cambios de Dirección

La rotación a la cual nos vamos a referir ahora corresponde a un eje en particular dentro de las secuencias de dos pasos que vimos anteriormente bajo el titulo de "Cambios de dirección". El eje que utilizaremos para rotar es el que la mujer tiene cuando da su primer paso, exactamente cuando ella deposite su peso totalmente, antes de dar el segundo paso. Este eje lo utilizaremos como eje de rotación. Luego de aprender a reconocerlo veremos las posibilidades de la dirección de esa rotación, y de la cantidad de rotación que podemos obtener en sus dos direcciones.

Rotation in the Changes of Direction

The rotation referred to here corresponds to a particular axis within the two step sequences already explained in the "Changes of Direction" section. This is the axis used by the woman to turn when she takes her first step, exactly at the moment when she has transferred her weight completely before taking her second step. We'll use this as the axis of rotation. Once we've learned to recognize this axis, we'll be able to see the possibilities of direction in this rotation, and the amount of rotation we can take in the two directions.

Las dirección de la rotación puede ser hacia la izquierda o hacia la derecha. Decimos que es hacia la izquierda cuando el movimiento de rotación va en contra de las agujas del reloj. Y decimos que la rotación es hacia la derecha, cuando el movimiento va en la misma dirección que las agujas del reloj. Los números indican las posiciones en donde empieza la mujer, donde se traslada y donde termina.

Ejemplo 1

En este ejemplo vemos un cambio de dirección Apertura-Apertura. Por razones gráficas, no podemos ver la movilidad de la rotación en el pie izquierdo de la mujer. Pero con un círculo hemos indicado dónde debe rotar el pie y en qué dirección, para poder llegar a la posición siguiente. El hombre sigue estando representado solamente por un círculo, ya que, por ahora, sólo importa su posición.

Ejemplo 2

Aquí vemos como podemos hacer una rotación hacia la derecha, con el mismo cambio de dirección que en el ejemplo anterior. El círculo esta indicando cómo la rotación del pie izquierdo de la mujer tiene

The direction of rotation can be to the left or to the right. It's to the left when the movement of the rotation is counter clock-wise. It's to the right when the movement of the rotation is clock-wise. In the diagrams, the numbers indicate the positions from where the woman starts to move, where she moves to and where she arrives when the movement is at an end.

Example 1

In this example we look at a change of direction Open step-Open step. In the diagram it's difficult to show the movement of the rotation in the woman's left foot, however we've indicated with a circle where the foot should rotate, and in which direction, to reach the next position. The man continues to be represented by a circle as, for the present, only his position is important.

Example 2

We see here how we can take a rotation to the right with the same change of direction as in the previous example.
The circle indicates that the rotation of the woman's left foot is clock-wise.

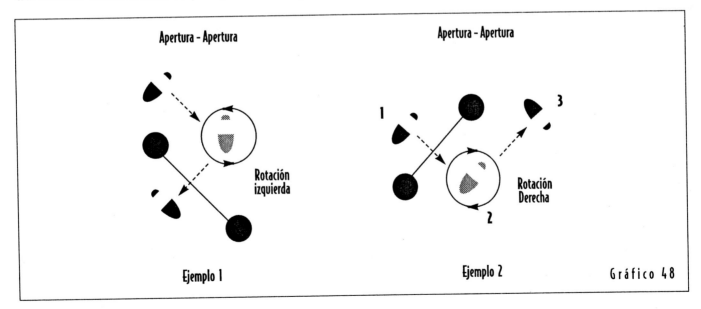

Ejemplo 1

Ejemplo 2

Gráfico 48

la misma dirección que las agujas del reloj. En este ejemplo, el pie izquierdo de la mujer está dibujado en la posición que tiene el pie antes de ser rotado. Si dibujáramos el mismo pie después de la rotación, tendría que quedar Paralelo al pie derecho que esta en la posición numero tres. No es la única opción, pero es una útil para entender la limitación de los gráficos con respecto al movimiento.

Los ejemplos que veremos a continuación incluyen, además de la rotación, fundamentos esenciales de análisis sobre la estructura del baile. El primero es un cambio de sistema y el otro, el concepto de rewind. El cambio de sistema fue explicado anteriormente, y el concepto de rewind lo será en la sección más adelante.

Ejemplo 3

En este ejemplo, estamos viendo un cambio de dirección Cruce adelante-Cruce atrás. La rotación es hacia la izquierda, o sea, en contra de la agujas del reloj. Si comparamos este ejemplo con el numero 27, veremos que el hombre está ocupando el mismo espacio en los dos

In this example, the woman's left foot is shown in the position it occupies before being rotated.
If we drew the same foot after the rotation, it would have to remain parallel with the right foot as in position number three.
It is not the only possibility, but it's useful to understand the limits of the diagrams in relation to the movement.

The examples we will look at next include, as well as the rotations, the essential foundations for analyzing the structure of the dance. The first is a change of system and the second is the concept of rewind. The change of system has already been explained, and the concept of rewind will be explained in the next section.

Example 3

In this example, we see a change of direction Front Cross-Back Cross. The rotation is counter clock-wise to the left.
If we compare this example with number 1, we see that the man is in the same position in the two examples, and the woman is stepping in

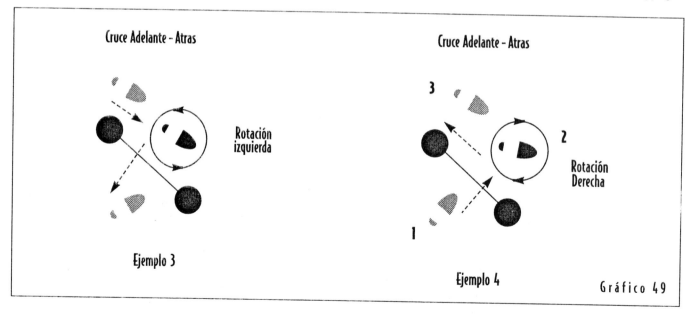

Cruce Adelante - Atras

Rotación izquierda

Ejemplo 3

Cruce Adelante - Atras

3

2

1

Rotación Derecha

Ejemplo 4

Gráfico 49

ejemplos, y la mujer está pisando en los mismos lugares, en los dos ejemplos. Lo único que ha hecho la mujer es cambiar sus piernas, si antes pisó con izquierda, ahora pisa con derecha, y viceversa. Si consideramos que el hombre realiza siempre los mismos pasos, en los dos ejemplos, podemos decir que existe un cambio de sistema de piernas.

Ejemplo 4

Aquí puede verse también que los lugares en que pisan los bailarines son los mismos que en el ejemplo 1 y 3. La única diferencia que hay con el ejemplo 3 es que hemos invertido la secuencia en su totalidad. Para entender este procedimiento es útil imaginar que la secuencia 3 fuera filmada en vídeo, y la secuencia 4, como si se observara en rewind. Aunque no conozcamos en detalle el concepto de reversa, podemos hacer la secuencia sólo siguiendo el orden de los números. La secuencia en reversa produce la rotación hacia la derecha del eje que toma la mujer. Con estos cuatro ejemplos vemos claramente que sólo existen dos formas de rotar un eje. Puede hacérselo hacia la izquierda o hacia la derecha. Esta forma de ver la rotación debe ser practicada y analizada en cualquier tipo de combinación. Es decir que, tomando dos pasos cualesquiera, se puede practicar el reconocimiento del eje que la mujer toma, y cuáles son las dos direcciones en las cuales podemos rotar este eje.

Grados de Rotación en los Cambios de Dirección

En esta sección, analizaremos el grado de rotación en los cambios de dirección. El grado o la cantidad de rotación que queremos obtener depende casi exclusivamente de dónde se coloque el hombre. Es por eso que empezaremos a analizar en detalle dónde debe pisar el hombre para estar mejor colocado. En los ejemplos que mostraremos a continuación veremos cómo obtener la mayor cantidad de rotación posible. Elegimos ejemplificar con la mayor cantidad de rotación posible ya que si no queremos ninguna rotación, sólo debemos quedarnos en el mismo lugar durante los dos pasos. Al dar ejemplos de la mayor rotación posible, también veremos la opción de menores rotaciones.

---

the same places in the two examples.
The only difference is that the woman has changed feet. If before she stepped with the left foot, now she steps with the right and vice versa. If we assume that the man always takes the same steps in the two examples, we can say that this is a change of the legs system.

Example 4

Here we see that the points where the dancers step are the same as in examples 1 and 3. The only difference in example 3 is that we have totally reversed the sequence. To understand this process it's useful to imagine sequence 3 as though it were filmed on video, and sequence 4 as if it were the same video rewinding. Although we don't yet know in detail the concept of reversed material, we can do the sequence by following the order of the numbers. The sequence in reverse produces the rotation to the right of the woman's axis.
We clearly see in these four examples, that there are only two ways of rotating on an axis. These rotations can be made to the left or to the right. This way of looking at the rotation should be practiced and observed with any kind of combination. In other words, recognizing and practicing the woman's axis and to which of the two directions we can rotate on that axis can be practiced taking any two steps.

Grades of Rotation on the Changes of Direction

In this section, we will analyze the amount of rotation in the changes of direction. The amount or grade of rotation we want to achieve depends exclusively on where the man is positioned.
This is why we will begin to analyze in detail where the man must step to position himself better.
In the following examples we will see how to get the maximum amount of rotation. We choose examples with the largest amount of a possible rotation, and if we do not want any rotation we must simply remain in place whilst performing the two steps. As we look at examples of the maximum rotation possible, we will also look at the option of minor rotations.

Es necesario aclarar que tanto el hombre como la mujer tienen como restricción el hecho de sólo poder dar dos pasos, e intercalando sus piernas. No puede existir el cambio de piernas durante la secuencia de dos pasos.

Para reconocer mejor la ubicación que el hombre debe tomar, debe familiarizarse con la dirección del primer traslado de la mujer.
Definimos como traslado a la línea que se forma entre dos huellas (siempre que estemos pasando el peso del cuerpo completamente de una pierna a la otra, como en los ejemplos). Indicaremos la primera dirección del primer traslado de la mujer con una línea punteada. Esto nos servirá para entender el mecanismo de la rotación.

Ejemplo 5 y 6
Como dijimos antes, la línea punteada está señalando la dirección en la cual la mujer se está trasladando con su primer paso. El hombre, está parado de un lado de la línea del traslado de la mujer. Como se ve, el hom-

Here it's necessary to clarify that both the man and the woman have the same restriction, in that they are only able to take two steps, and to alternate their feet. There can be no change of feet during the sequence of two steps.

For the man to know which is the best position to take, he must familiarize himself with the direction of the woman's first line of movement.
By line of movement we mean the line that is formed between two footprints in the diagram (always completely transferring the body weight from one leg to the other as in the examples). We will indicate the first direction of the woman's line of movement with a dotted line. This will serve us to help us understand the mechanism of the rotation.

Example 5 and 6
As already mentioned, the dotted line is indicating the direction in which the woman is moving with her first step. The man is positioned to the side of the woman's line of movement. We see that the man is stepping with his

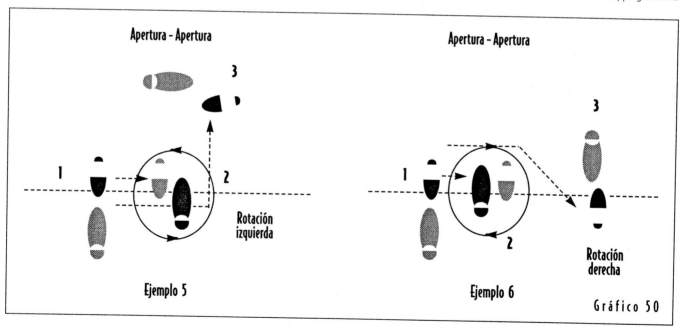

Apertura - Apertura

Apertura - Apertura

Rotación izquierda

Rotación derecha

Ejemplo 5

Ejemplo 6

Gráfico 50

bre está pisando con su pie derecho y cruzando o pisando del otro lado de la línea de traslado de la mujer. También debemos notar que el paso es muy cerca del pie de la mujer, donde ella tiene su eje de rotación. El hombre pisa por la parte externa del pie izquierdo de la mujer. El grado de rotación que pueda obtener la pareja, es directamente proporcional a la distancia a la que el hombre pueda traspasar la línea de traslado de la mujer.

right foot and crossing or stepping to the other side of the woman's line of movement. We should also note that the step is very near to the woman's foot, where she has her axis of rotation. The man steps by the external part of the woman's left foot. The grade of rotation the couple can achieve is directly in proportion with the distance the man can move over the woman's line of movement.

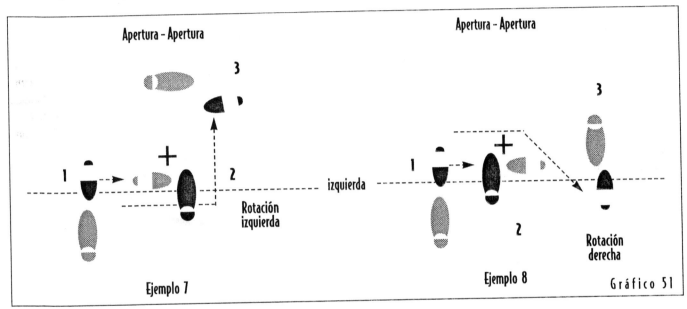

Gráfico 51

Ejemplo 7

Este es el mismo ejemplo que el numero 5, con el agregado de nueva información. Lo que vemos en el lugar marcado con una cruz es el lugar en donde el hombre lograría la mayor cantidad de rotación posible. El pie izquierdo de la mujer se muestra ya casi en su total rotación. Cuanto más cerca de la cruz pise el hombre, más rotación podrá obtener. Este punto que marcamos, además de estar del otro lado de la línea del primer traslado de la mujer, está rodeando el eje que toma la mujer con su pierna izquierda. En este caso, el hombre no llega a pisar en el lugar de la cruz, para facilitar la ejecución de la secuencia; pero el bailarín avanzado deberá lograr conseguir ese objetivo.

Example 7

This example is the same as number 5, with the addition of some new information. What we see in the place marked with a cross is the position from which the man can achieve the maximum amount of rotation. The woman's left foot is shown nearly at her place of total rotation. The nearer the cross the man can step, the more rotation he will be able to achieve. This point which we have fixed, in addition to being on the other side of the woman's first line of movement, is surrounding the axis the woman takes with her left foot. In this case, the man does not reach to step on the position of the cross in order to more easily execute the sequence; but the advanced dancer should try to achieve that objective.

Ejemplo 8

Es el mismo ejemplo que el numero 6, con información adicional. También aquí estamos indicando cuál sería el lugar en el que el hombre debe pisar con su pierna derecha para obtener el mayor grado de rotación posible hacia la derecha. El pie izquierdo de la mujer, lo vemos en la mitad del camino de su total rotación, ya que su total rotación llegaría a quedar con el pie izquierdo Paralelo al pie derecho del segundo paso.

A continuación, analizaremos otros dos ejemplos de cambios de dirección de Apertura-Apertura. Estas secuencias básicas del movimiento de rotación, deben ser practicadas tomando en cuenta todos los detalles que se explican en cada ejemplo. Ensayar movimientos de forma consciente nos sirve para luego poder fluir dentro de estas secuencias sin tener que pensar en todos sus detalles. La continua repetición de las secuencias, nos acercará al perfeccionamiento de cada detalle. Las posibilidades que aquí describimos, son pensadas para todo tipo de parejas, es decir, que no importa la diferencia de alturas, peso, o contexto física de cada uno de los integrantes de la pareja. Estos mismos ejemplos pueden optimizarse (conseguir mayor rotación). Allí habrá, sí, que tener un buen entrenamiento físico.

Example 8

This is the same as number 6 with additional information. Here we also indicate where the man would have to step on with his right foot to get the maximum amount of possible rotation to the right. We see the woman's left foot in the middle of the path of her complete rotation, as the complete rotation would arrive at the position of the left foot parallel to the right foot in the second step.

We will analyze other two examples of changes of direction of Open step - Open step. These basic rotation sequences should be practiced bearing in mind all the details that are explained in each example. To rehearse these movements in a conscious way, it serves us to be able to flow within the sequences without thinking about all the details. The continuous repetition of sequences will bring us nearer to perfecting each detail. The possibilities we describe here have been created for all kinds of couples, which means it doesn't make any difference what height, weight or build each dancer has.
These same examples can be improved on to achieve maximum rotation. It also helps to be in good physical training.

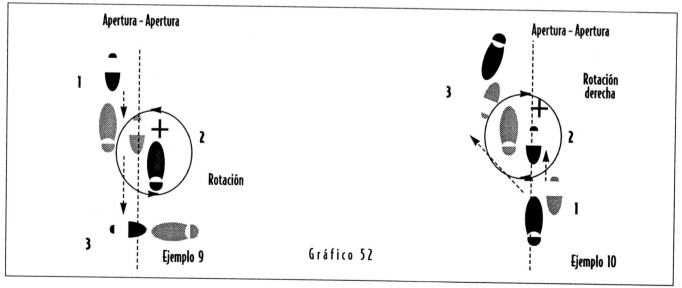

Apertura - Apertura

Rotación

Ejemplo 9

Apertura - Apertura

Rotación derecha

Rotación

Ejemplo 10

Gráfico 52

Ejemplo 9

Aquí vemos otro cambio de dirección de Apertura-Apertura en un sistema de pasos Paralelo. La pareja se mueve en una relación de pasos de derecha de la mujer con izquierda del hombre, e izquierda de la mujer con derecha del hombre. El pie izquierdo de la mujer esta dibujado en el exacto punto donde pisa, antes de la rotación. Por la forma de la Apertura, al hombre le es mucho más fácil acceder al lugar donde esta la cruz. Luego de la rotación, terminan los dos pies -el derecho de la mujer y el izquierdo del hombre- enfrentados, exactamente igual que el pie derecho del hombre con el izquierdo de la mujer, después de la rotación. Como la rotación hacia la izquierda, se produce muy fácilmente en este ejemplo debemos cuidar la prolijidad de los pies en el final, es decir, debemos terminar enfrentados en simetría.

Ejemplo 10

Esta secuencia es un cambio de dirección de Apertura-Apertura en un sistema de pasos Paralelo. Es decir que la pareja se mueve en una relación de pasos de derecha de la mujer con izquierda del hombre, e izquierda de la mujer con derecha del hombre. El pie izquierdo de la mujer está dibujado en el exacto punto donde pisa, antes de la rotación hacia la derecha. El hombre está del lado izquierdo de la línea de traslado del primer paso de la mujer, e intenta pasar del lado derecho para obtener mayor rotación. Los dos terminan con su segundo paso, lo más enfrentados posible.

Estos ejemplo sirven para ejemplificar la rotación hacia la derecha y la rotación hacia la izquierda. Luego, el eje de rotación funciona de la misma forma en una secuencia de baja o alta complejidad de ejecución.

También debe entenderse que en estas secuencia podemos rotar en nuestro eje sin tener obligadamente que usar ninguna fuerza centrífuga, o compartir el eje entre el hombre y la mujer. Estos dos nuevos elementos serán explicados en detalle en el volumen 2 de esta serie de libros.

Aunque estamos analizando cambios de dirección para ver el grado de rotación en el eje de la mujer, esta forma de análisis puede ser

Example 9

Here we see the other change of direction of Open step - Open step in the Parallel legs system. The couple moves in this relationship of steps:- the woman's left foot with the man's right, and woman's right foot with man's left. The woman's left foot is drawn on the exact point where she steps before the rotation. For the path of the Open step, it is much easier for the man to reach the place where the cross is drawn. After the rotation, their two feet finish - the woman's right and the man's left - facing each other, exactly the same as the man's right foot with the woman's left after the rotation.

As the rotation to the left is easily reproduced in this example we must look at the relationship of the feet at the end, this means we must finish, symmetrically, face to face.

Example 10

This sequence is a change of direction of Open step-Open step in the Parallel legs system. Which means that the couple moves in the following legs relationship:- the woman's right foot with the man's left, and woman's left foot with man's right.

The woman's left foot is drawn on the exact point where she steps before the rotation to the right. The man is positioned to the left side of the line of movement of the woman's first step, and tries to pass to the right side to get maximum rotation.

The couple finishes their second step face to face.

These examples serve to show the rotation to the right and the rotation to the left. The axis of rotation works in the same way in sequences of greater or lesser complexity.

It must also be understood that in these sequences we can rotate on our axis without having being obliged to use any centrifugal force or to share the axis between the man and the woman. These two new elements will be explained in detail in volume 2 of this series of books.

Although we are analyzing changes of direction to look at the amount of rotation on the woman's axis, this way of analyzing can be used for any of

aplicada a cualquier eje de la mujer. También es de considerar que estamos aprendiendo estas secuencias con algunas limitaciones: las rotaciones deben ocurrir durante un cambio de dirección, la mujer y el hombre deben hacer dos pasos, no pueden cambiar de pierna en el medio de la secuencia, la pareja no puede liberarse del abrazo de tango, etc.

Todas estas limitaciones, nos ayudan a concentrar nuestro esfuerzo en comprender el mecanismo que podemos utilizar para lograr que el eje de la mujer rote de una forma fluida y natural. Más adelante, estas limitaciones dejarán paso a un fluido baile.
Veamos estos nuevos ejemplos:

the woman's axes. It is also worth remembering that we are learning these sequences with some restrictions. The rotations must occur during a change of direction, the woman and the man must take two steps and cannot change foot in the middle of a sequence, the couple cannot be free from the tango embrace, etc.

All these limitations help us to concentrate our efforts in understanding the mechanism we use to get the woman's axis rotating in a fluent and natural way. Later on these limitations will give way to a flowing dance.

Let us look at these new examples:

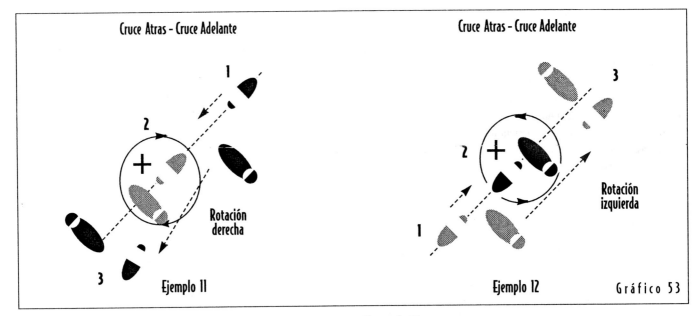

Cruce Atras - Cruce Adelante

Rotación derecha

Ejemplo 11

Cruce Atras - Cruce Adelante

Rotación izquierda

Ejemplo 12   Gráfico 53

Ejemplo 11
Es un cambio de dirección de Cruce atrás-Cruce adelante con rotación hacia la derecha en un sistema de piernas Cruzado. Por primera vez estamos viendo un ejemplo donde el hombre y la mujer empiezan una secuencia desde diferentes lugares: no comienzan con sus pies juntos. Es decir que el primer pie derecho de la mujer y el primer pie derecho del

Example 11
This is a change of direction of Back Cross-Front Cross with rotation to the right in the Cross legs system. It is the first time we have seen an example where the man and the woman start a sequence from different positions: they do not start with their feet together. This means the woman's right first foot and the man's right first foot is placed at a cer-

hombre están ubicados a cierta distancia. Esto sucede porque el hombre, para obtener un mayor grado de rotación, se ubica en una posición más ventajosa para acceder al espacio donde se encuentra la cruz. Este adelantarse del pie derecho del hombre es muy útil, ya que nos ubica en un mejor ángulo, en donde la pierna izquierda del hombre no choca con la pierna izquierda de la mujer. Así es posible acceder con facilidad al otro lado de la línea del primer traslado de la mujer. Luego de la rotación hacia la derecha, el hombre pisa al mismo tiempo que la mujer, y preferentemente con sus pies derechos uno cerca del otro.

Ejemplo 12

Aquí vemos un cambio de dirección Cruce atrás-Cruce adelante con rotación hacia la izquierda en un sistema de piernas Cruzado. También, como en la secuencia anterior, vemos que el hombre inicia la secuencia adelantado a la mujer desde antes de su primer paso. Esto le permite acceder más fácilmente al otro lado de la línea del primer traslado de la mujer. En este ejemplo nos resulta más difícil cruzar la línea de traslado de la mujer, ya que lo estamos realizando por su lado izquierdo. Es decir, que el hombre esta haciendo una Apertura hacia la izquierda de la mujer, pero, por la toma de los brazos, nos resulta más dificultoso traspasar la línea de traslado. En el abrazo de tango, el lado izquierdo de la mujer que el hombre toma con su lado derecho, es más cerrado que su opuesto. La secuencia termina con un segundo paso después de la rotación, preferentemente finalizando con los pies del hombre juntos a los de la mujer.

Ejemplo 13

Esta secuencia es un cambio de dirección Cruce adelante-Cruce atrás con rotación hacia la izquierda en un sistema de piernas Cruzado. Como en secuencia anteriores, el hombre ya está adelantado con su pie izquierdo antes de dar su primer paso. El acceso del hombre al lugar donde se ubica la cruz lo hace con su pie derecho, antes de que la rotación ocurra. En el segundo paso la pareja intenta pisar juntos con sus pies izquierdos, porque estamos utilizando un sistema de piernas Cruzado.

Ejemplo 14

Esta secuencia es un cambio de dirección Cruce adelante-Cruce atrás con rotación izquierda en un sistema de piernas Paralelo. El hombre y la mu-

---

tain distance. This occurs because the man, to get maximum amount of rotation, is located in a position more advantageous to reach the place where the cross is drawn.

The man's forward movement of the right foot is very useful, as it positions us at a better angle, where the man's left leg does not touch the woman's left leg, as it is possible to reach the other side of the woman's first line movement easily.

After the rotation to the right, the man steps at the same time as the woman, and preferably with both their right feet close to each other.

Example 12

Here we see a change of direction Back Cross-Front Cross with rotation to the left in a Cross legs system. As in the previous sequence, the man is positioned forward in relation to the woman before her first step.

This allows him to reach the other side of the woman's first line of movement more easily.

In this example it is more difficult for us to cross the woman's line of movement, as the figure is being made to the left side. In other words the man is taking an Open step to the woman's left, but because of the embrace it is more difficult for us to go over the line of movement.

In the tango embrace, the woman's left side is closer to the man's right side. The sequence finishes with a second step after the rotation, preferably both finishing with feet together.

Example 13

This sequence is a change of direction Front Cross-Back Cross with rotation to the left in a Cross legs system. As in previous sequences, the man is already in a forward position on his left foot before making his first step. For the man to reach the place where the cross is located he takes a step with his right foot, before the rotation happens. In the second step the couple try to step together with their left feet, because we are in the Cross legs system.

Example 14

This sequence is a change of direction Front Cross-Back Cross with a left rotation in the Parallel legs system. The man and the woman are stand-

jer están parados a la misma altura, antes de dar el primer paso. Esta ubicación favorece al hombre más que cuando empieza adelantado. El ángulo de penetración de la línea de traslado de la mujer es mucho más profundo, mientras que el hombre, se encuentra lo más cerca posible del primer pie derecho de la mujer. Luego de la rotación hacia la izquierda, la pareja intenta terminar la secuencia con sus pies juntos y al mismo tiempo.

ing at the same location before making the first step. This location favors the man more when he starts moving forward. The angle of penetration of the woman's line of movement is much deeper, while the man is found nearer to the woman's right first foot. After the rotation to the left, the couple tries to finish the sequence with their feet together and at the same time.

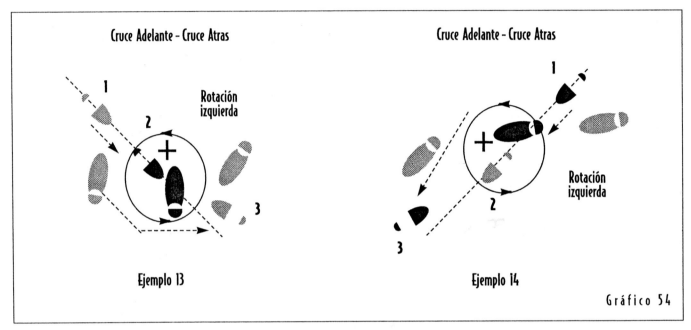

Cruce Adelante - Cruce Atras

Rotación izquierda

Ejemplo 13

Cruce Adelante - Cruce Atras

Rotación izquierda

Ejemplo 14

Gráfico 54

Ejemplo 15

La secuencia es un cambio de dirección Cruce adelante-Cruce adelante con rotación izquierda en un sistema de piernas Cruzado. Aquí nos encontramos con una nueva dificultad, el hombre debe medir su paso derecho teniendo en cuenta que la pierna izquierda de la mujer tenga suficiente espacio para pasar entre la pierna derecha de la mujer y la pierna derecha del hombre. Para obtener rotación, deberá pisar lo más en contra posible de la dirección del primer traslado de la mujer. El segundo paso de ambos deberá intentar hacerlo en el mismo lugar y lo más juntos posible.

Example 15

The sequence is a change of direction Front Cross-Front Cross with a left rotation in the Cross legs system.

Here we have a new difficulty: the man must measure his right step calculating whether the woman's left leg has enough room to pass between the woman's right leg and the man's right leg. To get rotation, he must step as far as possible in the opposite direction to the woman's first line of movement.

With their second step the couple must try to take the step in the same place and as near as possible.

Ejemplo 16

Esta secuencia es un cambio de dirección Cruce adelante-Cruce adelante con rotación izquierda en un sistema de piernas Paralelo. El hombre y la mujer están parados a la misma altura, antes de dar el primer paso. Esta ubicación favorece al hombre, en este caso mucho mejor que el de empezar adelantado. El ángulo de penetración de la línea de traslado de la mujer es mucho más profundo, mientras que el hombre esta lo más cerca del primer pie derecho de la mujer. Luego de la rotación hacia la izquierda, la pareja intenta terminar la secuencia con sus pies juntos y al mismo tiempo.

Example 16

This sequence is a change of direction Front Cross - Front Cross with left rotation in the Parallel legs system. The man and the woman are standing in the same location, before making the first step.

This location favors the man, in this case, much better than when he starts with a forward position.

The angle of penetration of the woman's line of movement is much deeper, while the man is as near as possible of the woman's first right foot. After the rotation to the left, the couple tries to finish the sequence with their feet together and at the same time.

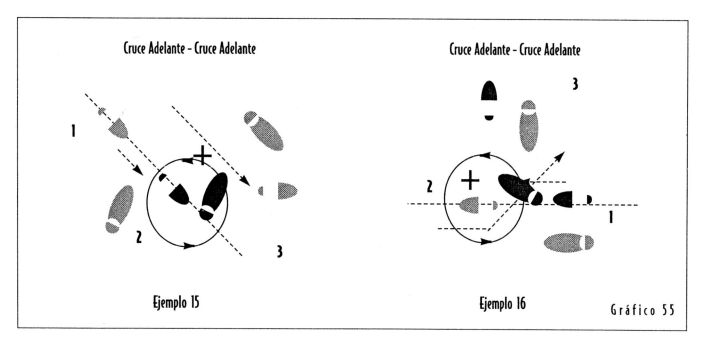

Cruce Adelante - Cruce Adelante

Cruce Adelante - Cruce Adelante

Ejemplo 15

Ejemplo 16

Gráfico 55

Glosario de Gráficos

Glossary of Graphics:

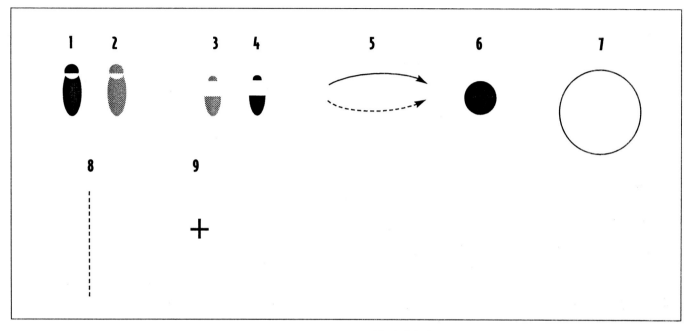

1- Pie derecho del hombre

2- Pie izquierdo del hombre

3- Pie derecho de la mujer

4- Pie izquierdo de la mujer

5- Flechas: Indican la posición del pie de salida y la llegada. En algunos casos también el recorrido del pie en el espacio. Las flechas de dirección del hombre son sólidas, y las de la mujer, punteadas.

6- Ubicación del hombre, no importa en que pie esté parado.

7- El círculo indica un giro, o posibilidad de giro.

8- Línea que indica la dirección de traslado

9- Cruz que indica una posición a obtener.

1- Man's right foot.

2- Man's left foot.

3- Woman's right foot.

4- Woman's left foot.

5- Arrows: They indicate the position of the exit foot and the point of arrival. In certain cases, they also indicate the path of the foot in space. The direction arrows are solid for the man and dotted for the woman.

6- Location of the man, it doesn't matter which foot he is standing on.

7- The circle indicates a turn or the possibility of one.

8- The line indicates the line of movement.

9- The cross indicates a position to get to.

Últimas Palabras

La danza del tango, como otras, evoluciona día a día, incorporando nuevas técnicas del movimiento, nuevas secuencias y nuevos elementos. Sabemos que aún las técnicas mas avanzadas, algún día llegaran a ser de poca utilidad, y serán suplantadas por otras nuevas y mejores. Estos hechos se pueden comprobar en otras danzas; pero a diferencia de estas, existe en el Tango Argentino algo que no se puede cambiar, hasta el momento, y es que el análisis de su técnica comienza a partir de la premisa de que tenemos dos piernas enfrentadas con otras dos piernas; y esta forma de ver el baile nos da un marco de contención, con posibilidades limitadas, por lo menos dentro del campo teórico.
Si bien creemos que este libro es lo suficientemente claro y detallado como para ser fácilmente asimilado, el vídeo que lo acompaña, muestra informacion adicional sobre la forma de realizar los ejercicios.

Recomendamos y alentamos al bailarín la concurrencia tanto a clases como a lugares donde se pueda bailar libremente, para sacar el mejor provecho e incorporar a nivel corporal los conceptos teóricos que este libro se esfuerza por transmitir de la forma más clara y didáctica que creemos posible.
Por último, quiero brindarle mis más sinceros deseos de progreso a todo aquel que se aventure a descubrir el apasionante universo que esta danza sin igual tiene para ofrecer.

Last Words

Tango dance like other dances is evolving day to day, utilizing new movement techniques, new sequences and new elements. We know that even the most advanced techniques will some day be replaced by others - newer and better. Dancers' aesthetics are also subject to changes of fashion. We can see evidence of these changes in other dance forms, but in The Argentine Tango there is something which cannot be changed, and that is that the analysis of the technique starts from the principle of two dancers facing each other. This way of seeing the dance gives us a framework with limited possibilities, at least within the theoretical arena.

Even though we believe this book is sufficiently clear and detailed so that you can easily assimilate the content, the video that comes with it shows additional information on ways of doing the exercises.

We recommend and encourage the dancer to go to classes and places where he or she can dance freely, so that he or she can take advantage of and absorb the theoretical concepts that this book seeks to transmit in the clearest and most systematic way we believe possible.

To end, I want to give my sincerest good wishes for progress and attainment to those who embark on the journey of discovery into the passionate and complex universe that this unique dance has to offer.

Agradecimiento

Mi mas sincero y profundo agradecimiento a uno de los mas renombrados maestros de Tango Argentino en el mundo, por su calidad de amigo y por su ayuda para que este libro sea posible. Con respeto y admiración a Fabian Salas.

Aknowledgement

My sincerest and most profound thanks to one of the world's most renowned tango masters, without whose friendship and help this book could not have been written.
With respect and admiration to Fabian Salas.